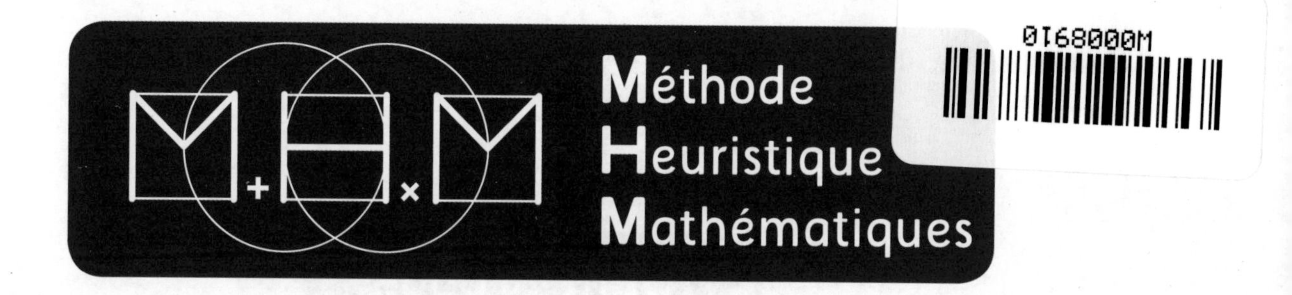

Guide des séances

Deuxième édition

Édition 2019
conforme aux
programmes
2018

Nicolas Pinel
Inspecteur de l'Éducation Nationale

Nathan est un éditeur qui s'engage pour la préservation
de l'environnement et qui utilise du papier fabriqué à partir
de bois provenant de forêts gérées de manière responsable.

Avant-propos

Ce guide contient les présentations détaillées des séances, à l'identique de ce que vous trouverez sur le site MHM. Toutefois, il vous permet d'accéder à une version couleur, reliée et de qualité, que vous pourrez consulter avec plaisir et qui vous évitera des impressions fastidieuses. De plus, **l'intégralité des fiches à photocopier nécessaires aux modules** ont été regroupées dans cette pochette, afin de faciliter votre organisation. Ce guide est fait pour être annoté, surligné et personnalisé.

C'est la **deuxième édition de ce guide**, mise à jour avec les corrections apportées suite à vos retours sur les réseaux sociaux et à la **parution des nouveaux repères de progressivité 2018.**

Lisez bien en amont le guide de la méthode[1], il est fondamental pour bien comprendre le fonctionnement et l'intérêt de la méthode MHM. Ne croyez pas que les petites choses disséminées dans les séances sont sans importance et peuvent être supprimées. Respectez le fonctionnement et, au bout d'une année ou deux, vous pourrez vous en affranchir et adapter plus spécifiquement la méthode à vos besoins et à vos habitudes, car **la méthode se veut évolutive.**

> **It has long been an axiom of mine that the little things are infinitely the most important.**
>
> Arthur Conan Doyle, *Les Aventures de Sherlock Holmes*.

1. *La Méthode heuristique de mathématiques, Enseigner les mathématiques autrement à l'école*, © Éditions Nathan, 2019.

Dans la rubrique Matériel, en début de chaque module, vous trouvez la liste de tous les éléments spécifiques nécessaires pour préparer vos séances.

Toutes les **Fiches** indiquées par ce picto sont présentes dans cette pochette.

Les **mini-fichiers** et les **jeux** indiqués par ces pictos sont disponibles aux éditions Nathan (mhm.nathan.fr) ou sur le site methodeheuristique.com .

Les outils présentés par ce picto sont téléchargeables sur les sites mhm.nathan.fr ou sur le site methodeheuristique.com.

ISBN : 978-2-09124353-5

Sommaire

Précisions

Le guide de la méthode répond à la majorité des questions que vous pouvez vous poser. Voici cependant quelques points importants rappelés ici pour vous aider et vous accompagner dans la mise en œuvre de la méthode.

Comment gérer le temps ?

« *J'ai du mal à finir, à avancer, les séances prennent trop de temps…* » Ne vous inquiétez pas, c'est normal sur les premiers modules qui sont denses pour vous et les élèves, le temps que les habitudes se construisent. L'organisation spatiale et la gestion de classe sont très importantes pour bien mettre en place la méthode.

Comment gérer l'avancée dans les mini-fichiers ?

Reportez-vous à la programmation des mini-fichiers. Vous saurez ainsi quand on va les utiliser. Toutefois, n'oubliez pas qu'ils sont notamment prévus pour rendre les élèves autonomes lors des séances de régulation. Donc, n'hésitez pas à les utiliser à chaque fois que vous en avez besoin. Et si un mini-fichier est fini alors qu'une séance y fait appel, pas de soucis, prenez un autre mini-fichier ou faites fabriquer par les élèves de nouvelles pages au mini-fichier !

Si je ne comprends pas ce qui est demandé dans la séance ?

La rédaction des contenus est brève. C'est un choix volontaire : moins vous lirez, plus vous aurez de temps pour réfléchir. Vous avez un doute, vous ne percevez pas bien ce qu'il faut faire ?

Trois solutions :

- faites comme vous pensez, car vous savez enseigner ! Même si ce n'est pas ce que j'avais prévu, cela ne devrait pas avoir de conséquences graves ;
- envoyez-moi un mail, je m'efforcerai d'y répondre rapidement ;
- échangez sur les réseaux sociaux avec vos collègues : les communautés MHM sur Facebook ou Twitter sont très actives et efficaces.

Lisez également les pages « Ce qu'il faut savoir » au début de chaque module de ce guide. Elles vous apportent des éclairages pédagogiques et didactiques importants. Ces informations sont distillées tout au long de l'année, au moment qui m'a semblé le plus opportun. Elles sont redondantes parfois sur plusieurs niveaux, car cela concerne les élèves sur l'ensemble du cycle.

Et si je veux utiliser mes propres outils ?

La méthode a été pensée de façon pragmatique. Dans un certain nombre de situations, on pourrait faire autrement et prendre tel ou tel outil (numérique ou autre), mais ce ne serait plus accessible à tous. MHM une synthèse d'idées et de concepts et la mise en œuvre de principes qui sont décrits dans le guide. Elle est fondée sur les relations entre les outils, les jeux et matériels proposés. Essayez d'abord la méthode pendant une année complète avant de vouloir la changer ou alors, ne remplacez les outils qu'à la condition d'être certain de travailler la même compétence. Et pour ne pas vous frustrer, vous pouvez utiliser les séances de régulation pour intégrer vos outils personnels.

La gestion des doubles niveaux

Certaines activités peuvent sembler difficiles en doubles niveaux (ou triples). Pour bien fonctionner, il est nécessaire d'instaurer des règles d'autonomie. Prenez le temps de leur expliquer comment vous fonctionnez. Reportez-vous au guide de la méthode (chapitre 9).

La place de la géométrie et des grandeurs et mesures

La méthode a parfois dérouté les enseignants de CM1-CM2 habitués, notamment, à avoir une séance par semaine de géométrie/mesures. Cette tradition a laissé entendre depuis plus de 20 ans que le quart des enseignements se consacraient à ces sous-domaines, alors que les différents programmes leur ont réservé des volumes et contenus différents.

La méthode ne déroule pas les programmes de façon proportionnelle ! Elle met un fort accent en début d'année sur la numération et davantage sur les grandeurs et mesures sur le dernier tiers de l'année. Le volume d'activités en géométrie et mesures a été augmenté par rapport à la première édition, notamment dans le cadre de la résolution de problèmes. Sur l'ensemble des deux années, les élèves auront consacré un temps important à ces sous-domaines.

La différence CM1 et CM2

Cet ouvrage permet de voir le travail fait en parallèle sur les deux années. Certains enseignants s'inquiètent alors de ce que feront les élèves la deuxième année, craignant qu'ils ne recommencent un peu la même chose du fait de la similarité des contenus. Effectivement, certaines activités sont similaires ou très proches, comme pour la majorité méthodes sur le marché. Une différenciation est proposée ou à construire. Les compétences à acquérir sont pour la plupart découvertes en CM1 et revues en CM2, puis en 6e. Cet effet de répétition est donc normal et, en outre, sera utile pour l'acquisition des compétences. Enfin, les élèves ne se souviennent pas du travail fait l'année précédente, encore moins des valeurs des calculs…

Les Rallyes maths

● Un rallye mathématique est proposé dans la méthode : c'est un rallye en quatre manches d'une durée de 45 minutes environ. L'objectif est de résoudre des problèmes « pour chercher » sur les nombres, la géométrie, les grandeurs et mesures ou la logique.

Il s'agit donc d'abord, pour les élèves, de faire des mathématiques en résolvant des problèmes, dans une organisation qui valorise le **travail en équipe** et qui implique les élèves dans un **esprit de coopération** et non de rivalité. Le rallye va donner une **image dynamique et positive des maths** et les démystifier.

● Si vous participez à un autre rallye maths, à un projet de circonscription ou autre, vous pouvez remplacer l'un par l'autre… Mais vérifiez bien que les principes mis en œuvre vous apportent les mêmes bénéfices en termes de travail coopératif des élèves.

Organisation

Il y a quatre manches dans l'année :

Manche 1	Module 7 - Séance 5
Manche 2	Module 12 - Séance 3
Manche 3	Module 16 - Séance 3
Manche 4	Module 20 - Séance 3

Deux modalités de mise en œuvre sont possibles :
- Des équipes sont créées au sein de la classe et seront conservées toute l'année ;
- Des équipes sont créées au sein de l'école, mélangeant plusieurs classes.

● Les équipes sont constituées par l'enseignant-e. Elles ne sont pas en compétition, mais en coopération. Elles doivent être constituées de suffisamment d'élèves pour permettre des échanges, quitte à créer des sous-groupes. Les équipes pourraient ainsi compter entre 6 et 9 élèves.

En double niveau, il y aura des équipes dans chaque niveau et elles réaliseront le défi leur correspondant. Un élève pourra aller dans un autre niveau que le sien au besoin.

● Les manches comportent quatre problèmes ouverts. Sur ces quatre problèmes, les élèves en choisissent trois et trois seulement. Les problèmes sont différents. Chaque élève, quel que soit son niveau, doit pouvoir en trouver un à sa portée *a minima* pour rentrer dans une première réflexion. La tâche est suffisamment complexe pour nécessiter la participation du plus grand nombre.

● Les élèves peuvent utiliser tous les outils qu'ils souhaitent (cubes, règle, papier calque, compas, pâte à modeler, récipient, calculatrice…), en dehors d'Internet. En revanche, on ne leur donne pas le matériel spontanément : c'est à eux de faire la démarche de le demander.

● Pour chaque exercice, ils gagnent 5 points si la réponse est juste et 5 points en plus si elle est bien expliquée ! Si la réponse n'est pas juste, l'exercice ne rapporte aucun point.

L'objectif est que le **score total de la classe** batte le score de « la famille Maths » qui a fixé une limite pour chaque manche. Cette limite correspond à un score pour trois équipes contre la famille Maths. S'il y a plus ou moins d'équipes, ajustez le score.

Au final, les élèves sont en compétition entre équipes, mais surtout en coopération pour atteindre la barre fixée et annoncée au début de l'épreuve.

Scores à battre :

Manche 1	Manche 2	Manche 3	Manche 4
55	60	65	70

Le rôle de l'enseignant-e

● Avant le début de la manche, lire les exercices (idéalement projetés pour être visibles), expliciter le vocabulaire et mettre à la disposition des élèves, uniquement sur leur demande, les outils nécessaires. Les exercices du rallye sont distribués en deux exemplaires par équipe. L'enseignant-e annonce comment sont calculés les points et le score à atteindre. Puis les élèves s'organisent et disposent de 45 minutes.

● Pendant la recherche des élèves, l'enseignant-e ne doit pas apporter son aide. **Il-elle est en position d'observateur** et note les réactions, l'organisation, les démarches, les représentations des élèves pour pouvoir remédier ultérieurement. Il faut en revanche veiller à ce que les élèves laissent une trace de leurs réponses qui soit explicite. Ainsi, on peut réserver les dix dernières minutes de recherche au choix des trois problèmes proposés et à la rédaction de la réponse. Les élèves s'organisent entre eux.

En cas de difficulté importante, proposer un étayage du type :
- encourager ceux qui abandonnent vite ;
- proposer l'utilisation d'un matériel spécifique ;
- suggérer d'écouter/suivre l'idée d'un élève spécifique ;
- réexpliciter l'exercice en le présentant comme une histoire pour mieux le faire comprendre.

Le rôle des élèves

Les élèves devront :
- **émettre des hypothèses, faire des choix, contrôler des réponses** ;
- **argumenter, débattre et communiquer** leurs démarches ; la nécessité de fournir une seule réponse pour l'équipe et de choisir trois problèmes parmi les quatre proposés est une **incitation au débat mathématique**. Faire des maths, c'est chercher des solutions à des problèmes, mais c'est aussi s'accorder sur ces solutions. Pour cela, il faut prouver, argumenter, débattre, chercher à convaincre... ;
- **faire un apprentissage de la coopération** ; les élèves prennent conscience que, même si l'on peut chercher seul, il est souvent plus efficace de chercher à plusieurs. C'est l'occasion d'**apprendre à s'organiser collectivement** puisque toute la classe est concernée : répartition du travail, recensement des diverses propositions, choix des solutions, gestion du temps...

La correction

● Elle a lieu à la séance suivante, au cours de la séance de régulation. L'enseignant-e aura pris soin de corriger les productions des élèves et donnera les scores.

Il s'agit de construire une correction collective à partir des productions des élèves. Il ne sert à rien de s'éterniser sur un exercice qui n'a pas posé problème ou alors ne le reprendre qu'ensuite en petit groupe. Il peut être intéressant de reprendre la production d'un groupe qui n'aurait pas été suffisamment bien explicitée pour montrer ce qui était attendu.

● Puis on réalise le score total de la classe et on vérifie si on a atteint la limite de la famille Maths. Une trace écrite de la manche peut être conservée et affichée sur un mur de la classe, en attendant la manche suivante.

À la dernière manche, des diplômes peuvent être distribués.

Les ateliers

● La méthode a fait le choix d'ateliers comme modalité principale d'apprentissage. Ils sont toujours prévus sur quatre séances : un atelier par jour qu'on fera tourner.

Pour mieux gérer les ateliers, vous pouvez prévoir :
- des supports pour les élèves pour guider l'atelier ;
- un tableau (numérique ou papier) qui permet de rappeler qui participe à quel atelier et pour apprendre quoi ;
- des affichettes indiquant l'objectif, la durée, des aides possibles, le rappel de la consigne (voire en audio avec QR code !) ;
- des rôles au sein de chaque atelier : un tuteur, un responsable des aides ;
- des outils/matériel, etc.

● En double niveau, ou triple niveau, des questions d'organisation se posent pour la rotation des ateliers. Chacun peut faire ses choix ou s'adapter à la particularité de sa classe, mais en aucun cas on organisera 8 ateliers si on a un double niveau !

● Pour simplifier l'organisation, on peut constituer 4 groupes dans la classe : A, B, C et D, même si cela crée des groupes de 3 ou de 6 élèves par exemple. Et si cela crée des grands groupes, on pourra les séparer ensuite, mais ils auront la même tâche.

Organisation selon les configurations

	Classe double niveau homogène *autant d'élèves de chaque niveau (CE2/CM1, CM1/CM2)*	**Classe double niveau déséquilibré** *niveau 1 avec peu d'élèves, niveau 2 avec une majorité d'élèves*	**Classe triple niveau** *séparer un des niveaux en deux groupes selon l'effectif ou selon les compétences des élèves*
Groupe A	Moitié niveau 1	Niveau 1	Niveau 1
Groupe B	Moitié niveau 1	Tiers niveau 2	Niveau 2
Groupe C	Moitié niveau 2	Tiers niveau 2	Niveau 3
Groupe D	Moitié niveau 2	Tiers niveau 2	Deuxième sous-groupe d'un niveau

Voici des rotations d'ateliers-types :

	S1	**S2**	**S3**	**S4**
Groupe A	Atelier 1	Atelier 2	Atelier 3	Atelier 4
Groupe B	Atelier 2	Atelier 3	Atelier 4	Atelier 1
Groupe C	Atelier 3	Atelier 4	Atelier 1	Atelier 2
Groupe D	Atelier 4	Atelier 1	Atelier 2	Atelier 3

Donner du sens aux mathématiques

● Plusieurs affiches sont proposées sur le site. Leur mise en œuvre est facultative et non imposée. Si vous souhaitez les utiliser, choisissez un temps de travail sur l'oral par exemple, un temps de débat ou alors une séance de régulation.

Ces affiches servent à mettre en place un état d'esprit, à réaliser un travail de réflexion sur les mathématiques. Elles ont donc besoin d'être accompagnées.

Elles sont au nombre de quatre (voir ci-dessous) et pourront être suivies d'autres qui seront alors proposées sur le site.

● Elles développent des idées fortes, valables sur l'ensemble de la vie de la classe. Il est bon de les commenter et d'en rappeler régulièrement les contenus. Elles trouveront leur place à un endroit de la classe où tous pourront les voir.

Comme le 100e jour d'école (projet inscrit dans la méthode) ou la promenade mathématique (projet facultatif inscrit également dans la méthode), ces affiches s'inscrivent dans une volonté de donner du sens aux apprentissages mathématiques et de les aborder sous un autre angle. Elles concourent à la motivation des élèves et à leur implication dans leurs apprentissages.

Nous pouvons tous réussir !

M.H.M

Un problème peut être résolu de différentes façons !

M.H.M

L'erreur est un moyen pour apprendre !

M.H.M

Les mathématiques nous apprennent à réfléchir !

M.H.M

La programmation au cycle 3

La couleur indique si la compétence est travaillée explicitement dans le module : CM1 CM2
Certaines compétences sont grisées même si elles sont utilisées dans les modules : cela dépend de votre organisation. Par exemple, « vérifier la vraisemblance d'un résultat » devrait se faire en résolution de problèmes. Lors des régulations, des rallyes maths, différentes compétences sont mises en œuvre et varient selon les élèves.

Grandeurs et mesures

		Modules 1 à 4	Modules 5 à 8	Modules 9 à 12	Modules 13 à 16	Modules 17 à 20	Modules 21 à 24
GM1	**Longueur et périmètre.** Comparer des périmètres avec ou sans recours à la mesure (par exemple en utilisant une ficelle, ou en reportant les longueurs des côtés d'un polygone sur un segment de droite avec un compas) : notion de longueur : cas particulier du périmètre ; unités relatives aux longueurs : relations entre les unités de longueur et les unités de numération.						
GM2	Calculer le périmètre d'un polygone en ajoutant les longueurs de ses côtés. Calculer le périmètre d'un carré et d'un rectangle, en utilisant une formule ; formule du périmètre d'un carré, d'un rectangle.						
GM3	**Aires.** Comparer des surfaces selon leurs aires sans avoir recours à la mesure, par superposition ou par découpage et recollement. Différencier périmètre et aire d'une figure. Estimer la mesure d'une aire et l'exprimer dans une unité adaptée.						
GM4	Déterminer la mesure de l'aire d'une surface à partir d'un pavage simple ou en utilisant une formule : unités usuelles d'aire et leurs relations : multiples et sous-multiples du m^2 ; formules de l'aire d'un carré, d'un rectangle.						
GM5	**Volumes et contenances.** Estimer la mesure d'un volume ou d'une contenance par différentes procédures (transvasements, appréciation de l'ordre de grandeur) et l'exprimer dans une unité adaptée.						
GM6	Unités usuelles de contenance (multiples et sous multiples du litre).						
GM7	**Angles.** Identifier des angles dans une figure géométrique. Notion d'angle. Lexique associé aux angles : angle droit, aigu, obtus.						
GM8	Comparer des angles, en ayant ou non recours à leur mesure (par superposition, avec un calque). Reproduire un angle donné en utilisant un gabarit. Estimer qu'un angle est droit, aigu ou obtus. Utiliser l'équerre pour vérifier qu'un angle est droit, aigu ou obtus, ou pour construire un angle droit.						
GM10	Résoudre des problèmes de comparaison avec et sans recours à la mesure.						
GM11	Résoudre des problèmes dont la résolution mobilise simultanément des unités différentes de mesure et/ou des conversions.						
GM12	Calculer des périmètres, des aires ou des volumes, en mobilisant ou non, selon les cas, des formules. Formules donnant : le périmètre d'un carré, d'un rectangle, l'aire d'un carré, d'un rectangle.						
GM13	Calculer la durée écoulée entre deux instants donnés. Déterminer un instant à partir de la connaissance d'un instant et d'une durée. Connaitre et utiliser les unités de mesure des durées et leurs relations : unités de mesures usuelles : jour, semaine, heure, minute, seconde, mois, année, siècle, millénaire.						
GM14	Résoudre des problèmes en exploitant des ressources variées (horaires de transport, horaires de marées, programmes de cinéma ou de télévision, etc.).						
GM15	**Proportionnalité.** Identifier une situation de proportionnalité entre deux grandeurs à partir du sens de la situation. Résoudre un problème de proportionnalité impliquant des grandeurs.						

Espace et géométrie

		Modules 1 à 4	Modules 5 à 8	Modules 9 à 12	Modules 13 à 16	Modules 17 à 20	Modules 21 à 24
EG1	Se repérer, décrire ou exécuter des déplacements, sur un plan ou sur une carte (école, quartier, ville, village).						
EG2	Accomplir, décrire, coder des déplacements dans des espaces familiers.						
EG3	Programmer les déplacements d'un robot ou ceux d'un personnage sur un écran en utilisant un logiciel de programmation. Vocabulaire permettant de définir des positions et des déplacements (tourner à gauche, à droite ; faire demi-tour, effectuer un quart de tour à droite, à gauche) ; divers modes de représentation de l'espace : maquettes, plans, schémas.						
EG4	Reconnaitre, nommer, décrire des figures simples ou complexes (assemblages de figures simples) : - triangles, dont les triangles particuliers (triangle rectangle, triangle isocèle, triangle équilatéral) ; quadrilatères, dont les quadrilatères particuliers : carré, rectangle, losange, cercle (comme ensemble des points situés à une distance donnée d'un point donné).						
EG5	Reconnaitre, nommer, décrire des solides simples ou des assemblages de solides simples : cube, pavé droit, prisme droit, pyramide, cylindre, cône, boule. Vocabulaire associé à ces objets et à leurs propriétés : côté, sommet, angle, diagonale, polygone, centre, rayon, diamètre, milieu, solide, face, arête.						
EG6	Reproduire, représenter, construire des figures simples ou complexes (assemblages de figures simples).						
EG7	Reproduire, représenter, construire des solides simples ou des assemblages de solides simples sous forme de maquettes ou de dessins ou à partir d'un patron (donné, dans le cas d'un prisme ou d'une pyramide, ou à construire dans le cas d'un pavé droit).						
EG8	Réaliser, compléter et rédiger un programme de construction d'une figure plane.						
EG10	Relations de perpendicularité et de parallélisme. Tracer avec l'équerre la droite perpendiculaire à une droite donnée passant par un point donné. Alignement, appartenance ; perpendicularité, parallélisme ; segment de droite.						
EG11	Tracer avec la règle et l'équerre la droite parallèle à une droite donnée passant par un point donné. Alignement, appartenance ; perpendicularité, parallélisme ; segment de droite.						
EG13	**Symétrie axiale.** Compléter une figure par symétrie axiale.						
EG14	Construire le symétrique d'un point, d'un segment, d'une droite par rapport à un axe donné. Construire la figure symétrique d'une figure donnée par rapport à un axe donné : figure symétrique, axe de symétrie d'une figure, figures symétriques par rapport à un axe.						
EG15	**Proportionnalité.** Reproduire une figure en respectant une échelle donnée : agrandissement ou réduction d'une figure.						

Nombres et calculs

		Modules 1 à 4	Modules 5 à 8	Modules 9 à 12	Modules 13 à 16	Modules 17 à 20	Modules 21 à 24
NC1	Connaitre les unités de la numération décimale pour les nombres entiers (unités, dizaines, centaines, milliers, millions, milliards) et leurs relations.						
NC2	Composer, décomposer les grands nombres entiers, en utilisant des regroupements par milliers. Comprendre et appliquer les règles de la numération décimale de position aux grands nombres entiers (jusqu'à 12 chiffres).						
NC3	Comparer, ranger, encadrer des grands nombres entiers, les repérer et les placer sur une demi-droite graduée adaptée.						
NC4	Connaitre diverses désignations des fractions : orales, écrites et décompositions additives et multiplicatives (ex : quatre tiers ; 4/3 ; 1/3 + 1/3 + 1/3 + 1/3 ; 1 + 1/3).						
NC5	Utiliser des fractions pour rendre compte de partages de grandeurs ou de mesures de grandeurs.						
NC6	Repérer et placer des fractions sur une demi-droite graduée adaptée.						
NC7	Encadrer une fraction par deu x nombres entiers consécutifs.						
NC8	Comparer deux fractions de même dénominateur.						
NC9	Écrire une fraction sous forme de somme d'un entier et d'une fraction inférieure à 1. Connaitre des égalités entre des fractions usuelles (exemples : 5/10 = 1/2 ; 10/100 = 1/10 ; 2/4 = 1/2).						
NC11	Connaitre les unités de la numération décimale (unités, dixièmes, centièmes, millièmes) et leurs relations. Comprendre et appliquer aux nombres décimaux les règles de la numération décimale de position (valeurs des chiffres en fonction de leur rang).						
NC12	Connaitre et utiliser diverses désignations orales et écrites d'un nombre décimal (fractions décimales, écritures à virgule, décompositions additives et multiplicatives).						
NC13	Utiliser les nombres décimaux pour rendre compte de mesures de grandeurs. Connaitre le lien entre les unités de numération et les unités de mesure (par exemple : dixième dm/dg/dL, centième cm/cg/cL/centimes d'euro).						
NC14	Repérer et placer un nombre décimal sur une demi-droite graduée adaptée.						
NC15	Comparer, ranger des nombres décimaux.						
NC16	Encadrer un nombre décimal par deux nombres entiers						
NC17	Mobiliser les faits numériques mémorisés au cycle 2, notamment les tables de multiplication jusqu'à 9. Connaitre les multiples de 25 et de 50, les diviseurs de 100.						
NC18	**Calcul mental ou en ligne.** Connaitre des procédures élémentaires de calcul, notamment : multiplier ou diviser un nombre décimal par 10, 100, 1 000 ; rechercher le complément à l'entier supérieur ; multiplier par 5, 25, 50.						
NC19	Connaitre des propriétés de l'addition, de la soustraction et de la multiplication, et notamment 12 + 199 = 199 + 12, - 5 × 21 = 21 × 5 ; - 27,9 + 1,2 + 0,8 = 27,9 + 2. Utiliser ces propriétés et procédures pour élaborer et mettre en œuvre des stratégies de calcul.						
NC20	Vérifier la vraisemblance d'un résultat, notamment en estimant un ordre de grandeur.						
NC22	**Calcul posé.** Connaitre et mettre en œuvre un algorithme de calcul posé pour effectuer : l'addition, la soustraction et la multiplication de nombres entiers ou décimaux ; la division euclidienne d'un entier par un entier.						
NC23	**Calcul instrumenté.** Utiliser une calculatrice pour trouver ou vérifier un résultat.						
NC24	Résoudre des problèmes mettant en jeu les quatre opérations : sens des opérations ; problèmes à une ou plusieurs étapes relevant des structures additive et/ou multiplicative.						
NC25	**Organisation et gestion de données.** Prélever des données numériques à partir de supports variés. Produire des tableaux, diagrammes organisant des données numériques.						
NC26	**Organisation et gestion de données.** Exploiter et communiquer des résultats de mesures. Lire ou construire des représentations de données : tableaux (en deux ou plusieurs colonnes, à double entrée)						
NC27	**Organisation et gestion de données.** Organiser des données issues d'autres enseignements (sciences et technologie, histoire et géographie, éducation physique et sportive, etc.) en vue de les traiter.						
NC28	**Proportionnalité.** Reconnaitre et résoudre des problèmes relevant de la proportionnalité en utilisant une procédure adaptée : propriétés de linéarité (additive et multiplicative), passage à l'unité, appliquer un pourcentage						

La progression en résolution de problèmes

● Voici les typologies de problèmes proposées dans l'année dans les deux mini-fichiers Problèmes.

Problèmes ternaires = relations entre 3 nombres		
n fois plus ou *n fois moins*	**Recherche de la quantité finale** 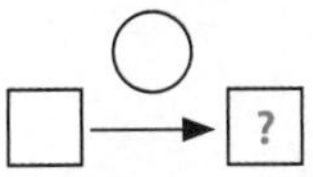	*Pierre a 9 ans et son père est 4 fois plus âgé que lui. Quel âge a son père ?*
	Recherche de la quantité initiale 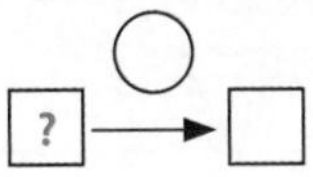	*J'ai 100 €. Mon frère a 4 fois moins d'argent que moins. Combien mon frère a-t-il d'argent ?*
	Recherche du nombre de fois 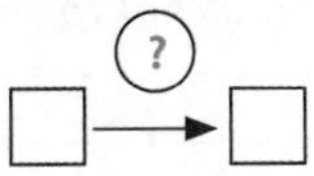	*Anita veut s'acheter 2 bagues. L'une vaut 6 €, l'autre vaut 18 €. Combien de fois plus coute la deuxième bague ?*
Produits cartésiens	*Il y a 4 filles et 3 garçons. Combien peuvent-ils former de couples de danseurs ?* *Donner toutes les compositions de fleurs avec une rose et une tulipe, à partir de 3 roses de couleurs différentes et 2 tulipes de couleurs différentes.*	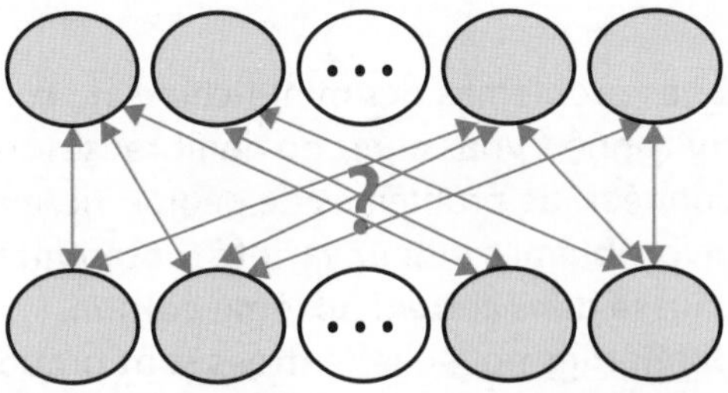
Configuration rectangulaire	*La longueur de mon terrain est de 15 m. Sa largeur est de 9,50 m. Quelle est son aire ?* *Quel est le nombre de carreaux de chocolat dans une tablette qui a 8 carreaux de long sur 4 de large ?*	

Problèmes quaternaires = relations entre 4 nombres		
Multiplication	**Recherche du nombre total d'éléments**	*Combien y a-t-il de bouteilles de bière dans 25 caisses de 12 bouteilles de bière ?* *Il y a 24 élèves. La maitresse distribue 3 cahiers à chaque élève. Combien distribue-t-elle de cahiers en tout ?*
Division quotition	**Recherche du nombre de parts** 1 | a ? | c	*Un éleveur de poules dispose de 6 984 œufs. Combien de boites de 12 œufs peut-il remplir ?* *La maitresse a 16 cahiers. Elle les distribue à un groupe d'élèves. Chaque élève reçoit 4 cahiers. Combien y a-t-il d'élèves dans chaque groupe ?*

<table>
<tr>
<td>Division partition
<table><tr><td>1</td><td>?</td></tr><tr><td>b</td><td>c</td></tr></table></td>
<td>Recherche de la valeur d'une part
<table><tr><th>Nombre d'élèves</th><th>Nombre de bonbons</th></tr><tr><td>1</td><td>?</td></tr><tr><td>7</td><td>21</td></tr></table>Recherche du nombre d'éléments part :
<table><tr><th>Nombre de melons</th><th>Nombre de cagettes</th></tr><tr><td>300</td><td>25</td></tr><tr><td>?</td><td>1</td></tr></table></td>
<td>La maitresse a distribué 21 bonbons à 7 élèves. Combien de bonbons chaque élève a-t-il reçus ?

Un cultivateur a ramassé 300 melons et dispose de 25 cagettes. Combien de melons doit-il mettre dans chaque cagette pour transporter toute sa production ?</td>
</tr>
<tr>
<td>Quatrième de proportionnelle</td>
<td><table><tr><th>Nombre de pulls</th><th>Prix</th></tr><tr><td>4</td><td>36</td></tr><tr><td>10</td><td>?</td></tr></table></td>
<td>4 pulls coutent 36 €. Combien coutent 10 pulls ?</td>
</tr>
</table>

● Les problèmes des mini-fichiers ne couvrent qu'une partie du travail de résolution de problèmes sur l'année. Vous aurez de nombreuses séances de résolution collective, de problèmes de gestion de données, de problèmes de géométrie/mesures, ou de problèmes ouverts (rallye maths). **Le nombre de problèmes et leur variété (notamment par l'ajout de problèmes de mesure), ont été revus à la hausse dans cette deuxième édition.**
Différentes nouvelles entrées sont proposées : résolution de problèmes oraux, écrits, résolution de problèmes dont une schématisation est déjà proposée, explicitation et argumentation d'une réponse donnée fausse, etc.
Au cours de plusieurs séances, vous serez libres de créer un problème spécifiquement adapté à vos besoins.

● La démarche en résolution de problèmes est explicitée dans le guide de la méthode. Elle s'inscrit dans les recommandations actuelles et s'appuie sur les mêmes références didactiques. Pour les élèves qui ont fait la méthode au cycle 2, plusieurs typologies de problèmes ont fait l'objet d'une formalisation par la création d'une affiche qui propose une démarche. Vous pouvez donc vous appuyer sur ces outils.

● Pour ces deux années de CM, le choix a été fait de ne pas créer de séances systématiques de formalisation de chaque typologie étudiée. En effet, au terme des trois années du cycle 2, les élèves devraient être en mesure de se créer une **image mentale des problèmes** et de trouver la solution experte ou une schématisation efficiente. Ce ne sera pas toujours le cas selon votre public, leurs acquis des années précédentes, etc.
Vous pouvez donc :
– formaliser par vous-même les typologies : il suffit pour cela de changer quelques activités (problèmes oraux) et de construire une affiche collective identifiant le type de problèmes et son mode de résolution. Cela peut aussi se faire collectivement au début d'une séance de régulation ;
– accompagner les élèves dans la schématisation. Le guide de la méthode propose en annexe plusieurs propositions. La méthodologie de Singapour par *tout/partie* fonctionne également avec de nombreux élèves. Vous pouvez donc l'utiliser ou la proposer pour étayer.

MODULE 1

6 SÉANCES

Objectifs majeurs du module

CM1

- Révision des tables de multiplication
- Les grands nombres
- Le calcul

CM2

- Révision des tables de multiplication
- Les grands nombres
- Le calcul

Matériel

CM1

 • **Fiche** Chaine de calculs

 • **Fiche** Exercices numération

 • **Mini-fichier** Problèmes

 • **Jeu** La grande course

@ • Cartons nombres

CM2

 • **Fiche** Chaine de calculs

 • **Fiche** Chèques à compléter

 • **Mini-fichier** Problèmes

 • **Leçon** 1

 • **Jeux** Le voyage spatial

@ • Cartons nombres

Devoirs

CM1

- **Pour la séance 3 :** revoir les tables de multiplication (enveloppe 1).
- **Pour la séance 4 :** écrire en lettres dans le cahier 10 019.
- **Pour la séance 5 :** revoir les tables de multiplication (enveloppe 1)
- **Pour la séance 6 :** faire deux additions dans le cahier en inventant des nombres > 1 000.

CM2

- **Pour la séance 3 :** revoir les tables de multiplication (enveloppe 1).
- **Pour la séance 4 :** écrire en lettres dans le cahier 173 089.
- **Pour la séance 5 :** revoir les tables de multiplication (enveloppe 1)
- **Pour la séance 6 :** faire deux additions dans le cahier en inventant des nombres > 10 000.

Les devoirs ne sont pas indiqués dans le déroulé des séances. C'est à vous de choisir quand et comment vous les vérifiez. La trace écrite des devoirs est à mettre dans le cahier de mathématiques. Pour rappel, les devoirs écrits ne sont pas obligatoires. La question des devoirs est développée dans le Guide *Enseigner les maths autrement* (chapitre 8).

MODULE 1

CE QU'IL FAUT SAVOIR

- C'est votre premier module. Il va falloir prendre l'habitude du fonctionnement proposé. **Chaque module est construit sur le même schéma pour tous les niveaux** de classe, ce qui permet une meilleure adéquation entre deux niveaux au sein d'un cours double. On suit chaque module, l'un après l'autre, une séance après l'autre.

  Les séances sont parfois regroupées en un bloc, permettant de faire des rituels quasi identiques et de proposer un fonctionnement en ateliers. Par exemple, si les séances 1 à 4 d'un module sont consacrées à un fonctionnement en ateliers, ce sera le cas pour tous les niveaux, du CP au CM2, en cours simple ou double.

- Sur l'ensemble de ces modules, il faudra ajouter **un module en arts plastiques et en géométrie**, dont la mise en œuvre se fera sur l'horaire des séances d'arts plastiques. Ce module est important, car il permet de réinvestir les compétences de mathématiques dans un autre contexte. C'est donc l'occasion de connecter les mathématiques au monde et de leur conférer une utilité esthétique.

- L'organisation générale se décline ainsi :

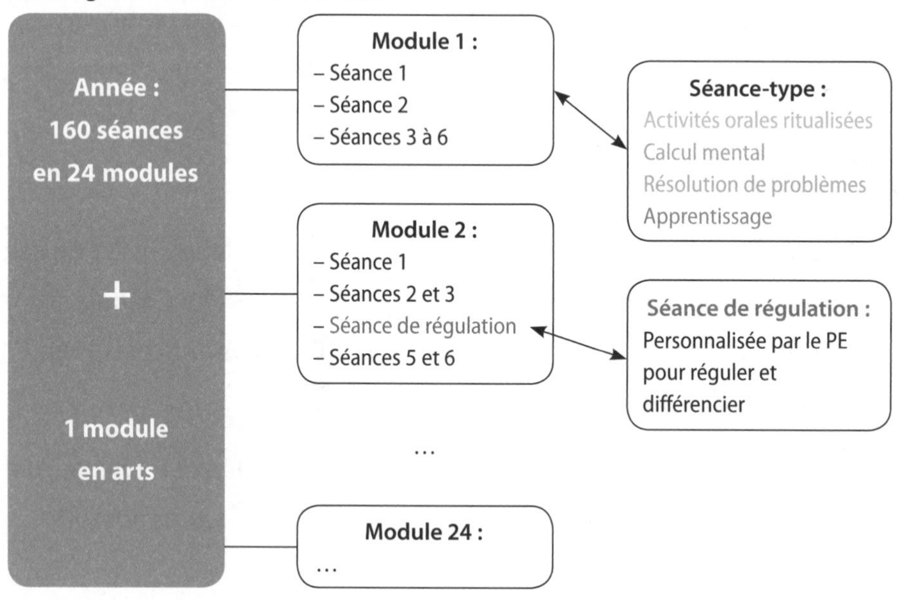

La démarche s'appuie sur un schéma-type de séance organisé comme suit :

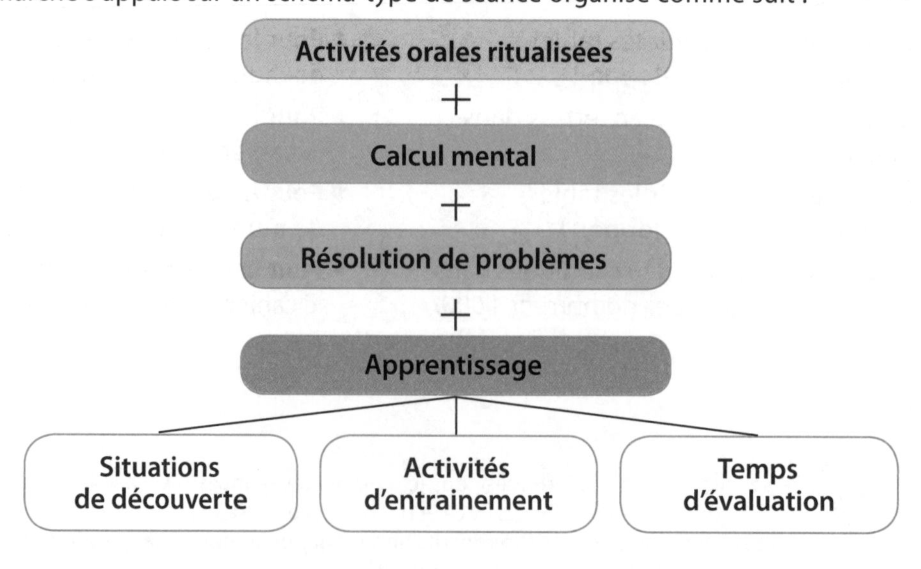

- Ce module fait le lien avec l'année précédente. Il doit s'appuyer sur les acquis qu'il faut réactiver rapidement.

Les activités orales ritualisées

Les activités proposées sont uniques ou ciblées en quantité (du type x3). Tenez-vous-en à cette quantité. Après les modules 5-6, vous saurez comment ajuster, voire changer cette proposition.

Les activités orales ritualisées sont l'occasion d'une **rétroaction efficace**.

Elles visent toujours un renforcement des connaissances (régularité et répétition) et sont complémentaires au travail sur le nombre et le calcul. Elles jouent un double rôle fondamental :
- mettre en confiance les élèves par des activités leur permettant d'être en réussite ;
- installer en mémoire des connaissances de façon durable grâce à une réactivation régulière et à un renforcement des connexions entre les différents apprentissages.

Prenez le temps les premières semaines de réfléchir à ce geste professionnel fondamental !

Le calcul mental

Le calcul mental doit être rythmé ! Ne pas attendre 10 minutes que tout le monde soit prêt. On commence même s'il manque encore deux élèves qui n'ont pas leur ardoise. Les résultats des tables de multiplication doivent être automatiques (3 à 5 secondes pour donner le résultat). Avec l'habitude, ils prendront le rythme. Cela fait partie de l'aspect dynamique des séances. Les élèves adhèrent et s'entraident si on leur explique bien pourquoi on travaille ainsi. Le calcul mental est majoritairement prévu à l'ardoise, mais vous pouvez parfois le faire dans le cahier si besoin.

La résolution de problèmes (1)

Si les élèves n'ont pas connu la méthode avant, les **Mini-fichiers Problèmes** sont une nouveauté. Prenez le temps d'expliciter et de préciser vos attendus. Il faut que ces temps soient dynamiques : pas de recherche qui s'éternise ! Le premier mini-fichier est très accessible, voire facile selon les classes. Il permet de mettre les élèves en confiance, de réactiver leurs connaissances et de les faire entrer dans un processus de résolution automatisé : comment je lis le problème, comment j'envisage d'y répondre…

Soyez aussi rigoureux sur la vraisemblance du résultat : insister pour qu'ils répondent systématiquement à la question : *est-ce que mon résultat est possible ?*

L'apprentissage

Ces premières activités d'apprentissage servent à réactiver leurs connaissances. C'est l'objectif et on l'explique aux élèves. C'est le début de l'année. On prend alors le temps d'étayer et d'observer leur entrée dans les apprentissages. De premières difficultés peuvent déjà apparaitre. Certains ateliers proposés peuvent vous donner l'impression qu'il faut que vous soyez partout en même temps, que l'adulte est forcément nécessaire. Cela interroge donc votre rapport à l'autonomie des élèves et leurs habitudes. Si vous craignez ne pas avoir d'élèves assez autonomes, vous pouvez accompagner. Par exemple dans ce module :
- pour les opérations, vous pourriez avoir une fiche rappelant la procédure (ou prendre la leçon des CE2) ;
- pour la découverte des **cartons-nombres**, vous pouvez faire une fiche de consignes à suivre pour qu'ils se l'approprient seuls.

Les premières séances sont souvent longues à mettre en place, le temps que les habitudes s'installent. Ce premier module ne comporte pas, volontairement, de séance de régulation. Il pourra vous servir, par l'observation, d'évaluation diagnostique sur le niveau des élèves et leurs acquis résiduels après les vacances…

Les cartons-nombres

Ce matériel permet de faire le lien entre l'**écriture positionnelle en chiffres du nombre et la lecture de ce nombre**, basée sur une numération de type additive et multiplicative. Il permet également de mémoriser la décomposition canonique des nombres.

On va pouvoir enfin travailler sur les 0 qui se « baladent ». Par exemple, en entendant *cent-deux-mille-trois-cent-quatre*, les élèves peuvent écrire : 100 210 003 004 ou 12 304, etc. En superposant les cartons, les 0 sont visibles, ils permettent de comprendre pourquoi ils sont placés là : le zéro marque l'absence !

Activité

1. Par groupe de deux ou trois, ils découvrent le matériel, classent les cartons par taille, puis les rangent dans l'ordre croissant ou décroissant, certains ont déjà l'idée de superposer les cartons, etc. Faire une première synthèse des différentes remarques des élèves. S'ils ont pratiqué la méthode auparavant, cette première partie est très rapide.

2. Dire aux élèves que ces cartons permettent d'écrire tous les nombres en chiffres.

Règle d'utilisation des cartons : « on superpose, en posant un carton plus petit sur un carton plus grand et en alignant les cartons à droite, afin qu'aucun carton n'en cache un autre. »

On vérifie systématiquement la bonne utilisation des cartons et on fait lire les nombres. Ils peuvent écrire les nombres dans le tableau de numération M/C/D/U et la décomposition dans le cahier. Dans un deuxième temps dans l'année, ou dès cette activité si cela vous semble accessible, passer à une écriture décomposée du type : $4\,078 = 4 \times 1\,000 + 0 \times 100 + 7 \times 10 + 8$ (écrire 0×100 est facultatif, mais cela permet de mettre l'accent sur l'absence de centaine).

Les enveloppes des tables de multiplication

Comme en cycle 2, plusieurs modalités d'apprentissage des tables de multiplication vont être utilisées. L'objectif est de viser une automatisation des résultats et une restitution quasi automatique. Par la suite, d'autres modalités seront proposées, comme la table de Pythagore (module 8). Le test de connaissance sera ensuite fait par une fiche de suivi (module 9).

Concrètement, il s'agit d'enveloppes à fabriquer pour chaque élève. Vous imprimez les étiquettes et vous notez, au dos, les résultats des opérations. L'élève s'interroge et vérifie ensuite le résultat. Cela permet de brasser les résultats et évite un apprentissage linéaire qui oblige à repasser par d'autres résultats pour accéder au bon.

On ne donne pas tout d'un coup : enveloppe 1 : module 1 ; enveloppe 2 : module 5 ; enveloppe 3 : module 8.

Le problème à l'oral

Vous lisez le problème, les élèves y réfléchissent en utilisant leur ardoise ou un cahier comme brouillon. La question se pose sur le fait de donner le texte du problème ou non. Si on le leur donne, on retrouvera tous les soucis de lecture que cela pose. L'idée est de leur lire et de l'expliciter pour qu'ils se concentrent sur l'aspect mathématique. On les aide à mettre en place une démarche (comprendre l'histoire, la schématiser, modéliser, etc. ▶ annexes du guide de la méthode). Ce temps se veut rapide et on limite volontairement le temps de recherche. En revanche, on prend les cinq minutes nécessaires pour expliciter la résolution. Il y aura d'autres occasions de s'entrainer et la séance de régulation pourra être utilisée à cette fin. On ne cherche pas à ce que les élèves aient absolument compris à chaque fois. Ils auront de nombreuses occasions pour s'entrainer et affiner leur démarche.

Activités ritualisées

- Les élèves de CM1 comptent oralement de 1 000 en 1 000 (jusqu'à 25 000 maximum) ; les CM2 ajoutent 10 000 et reprennent le dénombrement de 5 000 en 5 000. (× 1)
C'est à vous de voir jusqu'où vous allez. Cette réactivation doit prendre quelques minutes. Vous pouvez aussi écrire au tableau en même temps.

- **Dictée de nombres à l'ardoise :**
CM1 7 017 ; 8 075. CM2 20 005 ; 83 072.
Correction, puis, pour chacun des nombres, l'élève écrit sur l'ardoise le nombre de dizaines et le nombre de centaines.
Réexpliquer, en repassant par la représentation en cubes de mille, centaines, etc.

Calcul mental

CM1

- Interroger à l'ardoise sur des calculs du type :
17 + 8 ; 15 + 7 (× 5)

Il s'agit de réactiver les connaissances sur les tables et la décomposition des nombres.
Exemple : 17 + 8 = 10 + 7 + 8

CM2

- Interroger à l'ardoise sur des calculs du type :
517 + 8 ; 615 + 7 (× 5)

Il s'agit de réactiver les connaissances sur les tables et la décomposition des nombres.
Exemple : 517 + 8 = 500 + 10 + 7 + 8

Résolution de problèmes

- Expliquer le fonctionnement du **Mini-fichier Problèmes**.
Chaque élève dispose d'une feuille de route à compléter selon sa réussite (première page du mini-fichier).
Lire le premier problème pour chaque niveau.
Recherche individuelle (5 minutes). Passer dans les rangs, aider, corriger, valider.

Apprentissage

- Écrire tous les nombres possibles en utilisant les étiquettes mots-nombres : MILLE, DIX, VINGT, CINQ, CENT, HUIT affichées au tableau. Pour les CM2, ajouter MILLION.
Ils écrivent les nombres en lettres, puis en chiffres, puis sous forme décomposée.

Exemple : mille-cinq-cent-dix-huit
1 518 = 1 000 + 500 + 10 + 8

Chacun avance à sa vitesse sur le temps disponible.

MODULE 1

SÉANCE 2

Activités ritualisées

- Les élèves de CM1 comptent oralement de 5 000 en 5 000 ; les CM2 ajoutent 100 000 et reprennent le dénombrement de 5 000 en 5 000 (× 1).
- Écrire des nombres sous la forme décomposée au tableau : les élèves écrivent le nombre correspondant sur l'ardoise.

CM1 5 000 + 10 + 9 ; 9 000 + 400 + 2.
CM2 20 000 + 1 000 + 10 + 2 ; 50 000 + 3 000 + 200 + 8.

Calcul mental

- Présentation des **enveloppes de multiplication** (▶ p. 18). Expliquer leur fonctionnement : *« je tire un carton, je lis l'opération demandée, je propose une réponse, je vérifie si c'est juste. Si c'est juste, je pose sur la table, sinon je remets le carton dans le paquet. Et je recommence… »*

Ils s'entrainent ainsi 2-3 minutes.
Expliquer qu'il faudra recommencer en devoirs à la maison.

CM1

- Reproduire (ou afficher) la chaine de calculs :

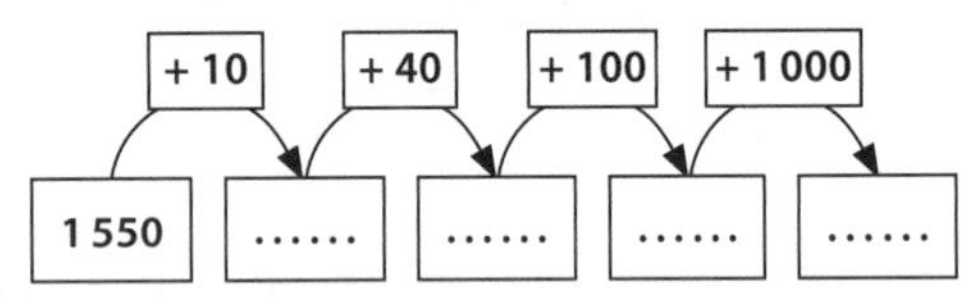

Expliquer comment la chaine de calculs fonctionne, recherche, correction.

CM2

- Reproduire (ou afficher) la chaine de calculs :

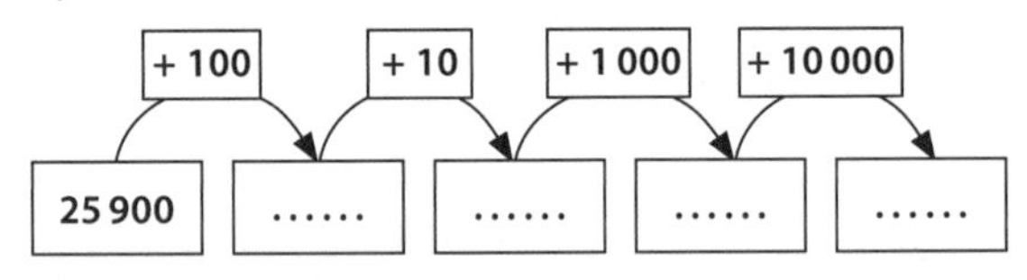

Expliquer comment la chaine de calculs fonctionne, recherche, correction.

Apprentissage

- Découvrir le fonctionnement du **Jeu La grande course** en faisant une partie collective ou en leur laissant regarder la vidéo.

Annoncer qu'ils devront jouer en autonomie les prochaines fois.
Il peut alors être nécessaire de concevoir une affiche simple résumant les règles.

- **Mini-fichier Problèmes**
Résoudre un problème.

- **Mini-fichier Problèmes**
Résoudre un problème.

- Découvrir le fonctionnement du **Jeu Le voyage spatial** en faisant une partie collective ou en leur laissant regarder la vidéo.

Annoncer qu'ils devront jouer en autonomie les prochaines fois.
Il peut alors être nécessaire de concevoir une affiche simple résumant les règles.

MODULE 1

SÉANCES 3 À 6

Activités ritualisées

- **Dictée de nombres** à l'ardoise. (× 3)

Adapter la taille des nombres aux compétences des élèves.

- Ranger les nombres en ordre croissant.

Calcul mental

- S3 et S4 : interroger les tables de multiplication à partir de l'enveloppe d'un élève. (× 6)
- S5 et S6 : calculs à l'ardoise.

Écrire un nombre, corriger, puis ajouter à ce nombre × milliers. (× 3)
Adapter la taille des nombres aux compétences des élèves.

Résolution de problèmes

- S3 à S5 : **Mini-fichier Problèmes**

Résoudre un problème collectivement : lecture individuelle, recherche courte à l'ardoise de la réponse (5 minutes), explicitation collective de la démarche, correction.
Il s'agit de les aider à construire la démarche : schématisation, réutilisation des affiches méthodologiques des années précédentes, etc.

- S6 : **problème oral**

*« La maitresse a acheté du matériel pour la rentrée.
Elle reçoit 7 paquets de 21 cahiers.
A-t-elle assez de cahiers pour les 148 élèves de l'école ? »*

CM2

*« La maitresse a acheté du matériel pour la rentrée.
Elle reçoit 11 paquets de 15 cahiers.
En plus, il y a 5 cahiers au fond du carton.
A-t-elle assez de cahiers pour les 169 élèves de l'école ? »*

Recherche individuelle en temps limité : 5 minutes. Correction collective. Explicitation des procédures, schématisation, réponse.

4 ateliers à mettre en place, à faire tourner sur les 4 séances.

Atelier 1

● Demander de fabriquer en groupe le nombre 9 999 à partir du matériel de numération (ou des images du matériel). Corriger. Faire ajouter un cube. Voir les échanges à effectuer. *« On a dix paquets de mille, c'est-à-dire une dizaine de mille. »* Écrire sous sa forme décomposée : 10 000 = 10 × 1 000.
Rappel des règles d'échange :

1 M = 1 000 U = 100 D = 10 C

Ajouter 1 000, puis 9 000. « Que se passe-t-il ? »

● **Fiche Exercices numération**

● **Opérations**
Calculer deux additions et deux soustractions dans le cahier (les écrire au tableau), avec des nombres à quatre chiffres.
Les élèves vérifient leur résultat à la calculatrice et s'autovalident.

Atelier 2

● **Opérations**
Calculer deux additions et deux soustractions dans le cahier (les écrire au tableau), avec des nombres à trois chiffres.
Les élèves vérifient leur résultat à la calculatrice et s'autovalident.

● « Que se passe-t-il quand j'ajoute 1 au nombre 999 999 ? »
Recherche libre. Correction. Explication des nombres au-delà du million. Comme pour la classe de mille, je peux avoir des millions, des dizaines de millions…
Lecture collective de la **Leçon 1** sur les grands nombres. À la lecture de la règle d'espacement, donner des nombres à recopier dans le cahier en les espaçant correctement (trois nombres). Correction : ils doivent oraliser la classe de nombres.
Lecture de la suite de la leçon.

● **Fiche Chèques à compléter**
Écrire en lettres un chèque *(avec un nombre en millions ou dizaines de millions)*.

● Décomposition de nombres (en millions) dans le cahier (au moins deux nombres).

Atelier 3

● **Jeu La grande course**
Revoir la vidéo au besoin (▶ p. 20).

● **Fiche Chaine de calculs**
Écrire ou vidéoprojeter la chaine au tableau : ils la recopient dans le cahier.

● **Activité des cartons-nombres** (▶ p. 18)

10 345 ; 208 850

Atelier 4

● **Fiche Chaine de calculs**
Écrire ou vidéoprojeter la chaine au tableau : ils la recopient dans le cahier.

● **Activité des cartons-nombres**

5 013 ; 4 078 ; 7 209

● **Jeu Le voyage spatial**
Revoir la vidéo au besoin (▶ p. 20).

MODULE 2

6 SÉANCES

Objectifs majeurs du module

CM1

- La connaissance des nombres
- La droite graduée
- Les techniques de calcul
- Les unités de mesure de longueur

CM2

- La connaissance des nombres
- La droite graduée
- Les techniques de calcul
- Les unités de mesure de longueur

Matériel

CM1

- **Fiche** *Rituel* Le nombre du jour (1)
- **Fiches** Droites graduées
- **Fiche** Problème de pluviométrie
- **Fiche** Activité de tri
- **Fiche** Calculs

- **Leçons** 1 et 2

CM2

- **Fiche** *Rituel* Le nombre du jour (1)
- **Fiches** Droites graduées
- **Fiche** Problème de pluviométrie
- **Fiche** Calculs
- **Fiche** Exercices numération

- **Leçons** 1 et 2

Devoirs

CM1

- **Pour la séance 1 :** revoir les tables de multiplication (enveloppe 1).
- **Pour la séance 2 :** lire la Leçon 1.
- **Pour la séance 4 :** compter de 12 en 12 jusqu'à dépasser 200 dans le cahier.
- **Pour la séance 5 :** s'entrainer à faire deux ou trois multiplications de nombres à deux chiffres par un chiffre.
- **Pour la séance 6 :** revoir la vidéo sur les tables et apprendre la Leçon 2.

CM2

- **Pour la séance 1 :** revoir les tables de multiplication (enveloppe 1).
- **Pour la séance 2 :** lire la Leçon 1.
- **Pour la séance 4 :** compter de 15 en 15 jusqu'à dépasser 200 dans le cahier.
- **Pour la séance 5 :** s'entrainer à faire deux ou trois multiplications de nombres à deux chiffres par des nombres à deux chiffres.
- **Pour la séance 6 :** revoir la vidéo sur les tables et apprendre la Leçon 2.

MODULE 2

CE QU'IL FAUT SAVOIR

Rituel : le nombre du jour

Ce rituel va permettre de travailler régulièrement sur les nombres. Il va évoluer tout au long de l'année. Il va d'abord servir à construire les grands nombres et à faire la différence entre *nombre de* et *chiffre de*. Attention, l'abus de langage est fréquent et il faut être rigoureux dans la construction des apprentissages.

Les techniques opératoires

Quand les élèves sont en difficulté, il est important de **verbaliser** les différentes étapes dans les techniques, mais aussi de reproduire la technique via le matériel de numération. En début d'année, la remise en route des techniques est parfois difficile. Deux solutions :
– donner une **fiche mémoire** : vous pouvez utiliser les leçons du CE2 (leçon 5 pour la soustraction posée et leçon 14 pour la technique de la multiplication) ;
– utiliser les vidéos de Canopé pour qu'ils visualisent à nouveau en autonomie la procédure.

Si on souhaite vérifier la technique et la capacité à mettre en œuvre l'algorithme, inutile d'utiliser des opérations délirantes (du type 9 878 + 7 893) qui conduisent à augmenter statistiquement le risque d'erreurs. On s'interrogera aussi sur la pertinence d'opérations avec des nombres à plus de cinq chiffres... Vous devez aussi vous poser la question de la disponibilité des tables de multiplication : ne pas les donner cumule les difficultés et vous empêche de savoir ce qui provoque la mauvaise réponse (erreur de calcul ou de technique ?).

La résolution de problèmes (2)

Au cours de ce module, une modalité particulière est proposée : il s'agit de présenter un problème et une réponse possible à ce problème. Cette réponse est fausse et on demande aux élèves de prouver pourquoi elle est fausse. Vous devez créer ce problème sur mesure pour votre classe, selon les besoins des élèves. Il peut s'agir par exemple d'un problème contenant un mot inducteur (comme « reste », « perd »...), mais qui ne se résout pas avec une soustraction.

Un rituel complémentaire en mesures

Vous pouvez mettre en place un rituel supplémentaire sur les mesures du temps. Par exemple :
– faire un relevé des horaires de lever du soleil sur une durée donnée à chaque période ;
– faire un relevé de la quantité de pluie tombée (en fabriquant un pluviomètre en technologie) ;
– faire un relevé de température dans différentes villes du monde (grâce à une application sur tablette par exemple) ;
– calculer la durée du jour (entre lever et coucher du soleil), etc.

Ces relevés seront alors retranscrits sur un graphique. Cela permet de mener un véritable travail sur les mesures et la gestion de données, dans un contexte réel. L'ensemble des données peut être étudié lors d'une séance de Sciences ou de Géographie, afin d'en tirer différentes informations.

Activités ritualisées

- Donner la centaine suivant un nombre donné.

Commencer par donner un exemple : la centaine qui suit 2 542 est 2 600 ou demander directement *« le nombre arrondi à la centaine supérieure »*.

CM1 Nombres entre 1 000 et 5 000. **CM2** Nombres entre 10 000 et 50 000. (× 3)

Pour expliciter, utiliser la droite graduée.

- Donner des couples de nombres au tableau, les élèves complètent avec le signe < ou > à l'ardoise :

CM1

3 584 … 3 499
6 000 + 500 + 4 … 7 000 + 100 + 1
9 000 - 1 … 8 000 + 900 + 90

CM2

46 857 … 47 580
18 900 … 19 000 – 1
25 000 + 5 000 … 27 000 + 4 000

Calcul mental

- Revoir les tables de multiplication (interroger 10 résultats de l'enveloppe).

Résolution de problèmes

- **Mini-fichier Problèmes**

Résoudre un problème collectivement : lecture individuelle, recherche courte à l'ardoise de la réponse (5 minutes), explicitation collective de la démarche, correction.

Il s'agit d'aider les élèves à construire la démarche : schématisation, réutilisation des affiches méthodologiques des années précédentes, etc.

Apprentissage

- Lecture collective de la **Leçon 1** sur les nombres.
- Dans le cahier, copier et compléter les égalités suivantes :

25 dizaines = … unités
30 centaines = … milliers
6 milliers = … dizaines
158 centaines = … milliers

Mettre à disposition le matériel de numération.

- Relecture individuelle de la **Leçon 1**.
- **Fiche Exercices numération**

Encourager les élèves à utiliser des outils : tableau de numération, matériel de numération, etc.

MODULE 2

SÉANCES 2 ET 3

Activités ritualisées

● **Dictée de nombres à l'ardoise**
S2 : CM1 4 002 ; 9 105 ; 7 878. CM2 550 000 ; 105 078 ; 420 008.
S3 : CM1 3 015 ; 7 004 ; 9 094. CM2 299 999 ; 704 447 ; 375 175.
Utiliser les cartons-nombres pour expliquer si besoin les « zéros » !

Calcul mental

● S2 : demander comment ajouter ou soustraire 9 CM1 ou 99 CM2 sur des nombres entre 1 000 et 9 999. Fabriquer une affiche synthèse ou reprendre l'affiche faite l'année précédente. S'entrainer sur trois exemples.

● S3 : entrainement comme en **S2**. (× 5)

Résolution de problèmes

● **Mini-fichier Problèmes**
Résoudre un problème collectivement : lecture individuelle, recherche courte à l'ardoise de la réponse (5 minutes), explicitation collective de la démarche, correction.

Apprentissage

CM1

S2 : **travail sur la droite graduée**
● Présentation de la **Fiche Droite graduée 1**. Ils la complètent au crayon par binômes. Correction collective. Explication du fonctionnement : trouver toujours quelle quantité on trouve entre chaque graduation. *« Cela peut être 1, mais cela peut être une autre quantité. »*

● Donner la **Fiche Droite graduée 2** : ils cherchent rapidement la valeur d'une graduation. Correction collective puis ils complètent la droite graduée.

● Terminer en individuel la **Fiche Droite graduée 3** (en rappelant qu'on cherche d'abord la valeur de la graduation).

S3

● Poser deux soustractions de nombres à trois chiffres dans le cahier.

● Poser deux multiplications de nombres à deux chiffres par un nombre à un chiffre dans le cahier. Les élèves vérifient leur résultat à la calculatrice et s'autovalident.
Il s'agit de réactiver des compétences des années précédentes. Cela peut être très difficile, aussi faites-les travailler en binômes au besoin, fournissez des fiches d'aide, montrez-leur les vidéos de Canopé.

CM2

S2
● Poser deux multiplications de nombres à deux chiffres dans le cahier.

● Poser deux divisions de nombres à deux chiffres dans le cahier. Les élèves vérifient leur résultat à la calculatrice et s'autovalident.
Il s'agit de réactiver des compétences des années précédentes. Cela peut être très difficile, aussi faites-les travailler en binômes au besoin, fournissez des fiches d'aide, montrez-leur les vidéos de Canopé.
Si, pour la division, cela semble trop compliqué, attendez : ils vont en poser à nouveau au module 6 et la leçon arrivera au module 8.

S3 : **travail sur la droite graduée**
● Même travail qu'en S2 pour les CM1 (▶ voir ci-contre).

Régulation

● C'est la première séance de régulation. Son intérêt, son fonctionnement sont décrits dans le guide de la méthode. Elle arrive au terme des neuf premières séances de l'année. Déjà, vous pouvez constater les premières difficultés de vos élèves ou des décalages dans la classe.

Pour construire cette séance, vous pouvez par exemple :

– prévoir un retour sur les devoirs ;

– organiser un temps de calcul mental de 10 minutes ciblé sur le besoin majeur que vous avez repéré (par exemple ajouter 9 ou faire des calculs du type +8 font l'objet de vidéos sur la chaine Youtube de la méthode :

– organiser un temps d'autonomie/groupes de besoin de 40-45 minutes. Les élèves seront en autonomie sur les outils déjà proposés (mini-fichier ou jeux) et vous prenez un groupe de 3-4 élèves sur une difficulté particulière : par exemple la connaissance des nombres, la droite graduée (un outil important !) ou une technique opératoire… Vous pouvez travailler en remédiation avec ces élèves pendant une vingtaine de minutes, puis vous allez relancer les autres sur une autre tâche (par exemple écrire des nombres en lettres avec un modèle, changer de jeu) puis prendre un deuxième groupe les vingt minutes restantes. Cela permettra de remédier et d'encourager 6-8 élèves.

Notes personnelles

MODULE 2

SÉANCES 5 ET 6

Activités ritualisées

- **Fiche *Rituel* Le nombre du jour (1) :** donner un nombre par séance, en utilisant la même fiche les deux séances de suite.

Choisir un nombre adapté au niveau des élèves. S'appuyer sur le tableau de numération ou le matériel de numération pour expliciter, en revenant aux règles de base :

1 millier = 10 centaines = 100 dizaines

Calcul mental

- S5 : montrer la vidéo d'aide à la mémorisation des tables.
- S6 : interroger les tables de multiplication. (× 10)
- S5 : revoir +9 CM1 ou +99 CM2 sur des nombres < 1 000. (× 4)
- S6 : voir +99 CM1 ou +999 CM2 sur des nombres < 1 000. (× 4)

Explicitation de la procédure, confrontation des méthodes utilisées.

Résolution de problèmes

- **Problème oral :** choisir un problème adapté aux compétences des élèves selon vos observations des séances précédentes. Écrire un calcul, son résultat et la phrase réponse, puis demander aux élèves : *« Expliquez-moi pourquoi la réponse à ce problème est fausse »*. Leur laisser 5 minutes de réflexion, puis faire une correction collective des propositions.

Apprentissage

CM1

S5 : **les unités métriques**

- **Fiche Activité de tri** en collectif ou en autonomie.
- **Fiche Problème de pluviométrie**

Lecture individuelle, explication collective du sens.
Questionnement : *« quelle quantité de pluie est tombée en mars ? En septembre ? Quel mois y a-t-il eu le plus de pluie ? Le moins ? »*

- **Leçon 2 :** lecture collective.

S6

- **Fiche Calculs** à compléter le plus vite possible puis correction à la calculatrice ou en affichant la correction.

Profitez du côté autonome des calculs pour aider les élèves en difficulté, observer et étayer leurs stratégies, apporter des outils si besoin.

- **Jeu La grande course**

CM2

S5 : **les unités métriques**

- **Leçon 2 :** lecture collective ou individuelle.
- **Fiche Problème de pluviométrie**

Résolution du problème.

S6

- **Fiche Calculs** à compléter le plus vite possible puis correction à la calculatrice ou en affichant la correction.

Profitez du côté « autonome » des calculs pour aider les élèves en difficulté, observer et étayer leurs stratégies, apporter des outils si besoin.

- **Jeu Le voyage spatial**

MODULE 3

8 SÉANCES

Objectifs majeurs du module

CM1

- La construction des grands nombres
- Les techniques de calcul mental
- Les formes géométriques

CM2

- La construction des grands nombres
- Les techniques de calcul mental
- Les formes géométriques

Matériel

CM1

- **Chronomath 1**
- **Fiche** Droites graduées
- **Fiche** Horaires de vol
- **Fiche** Identification des angles
- **Fiche** Exercices polygones
- **Fiches** Trompe-l'œil : dessin et tracé

- **Mini-fichier** Constructor

- **Leçons** 3 et 4

- Jeu de la photo

- Cartes flash de géométrie

CM2

- **Chronomath 1**
- **Fiche** Droites graduées
- **Fiche** Horaires de vol
- **Fiche** Identification des angles

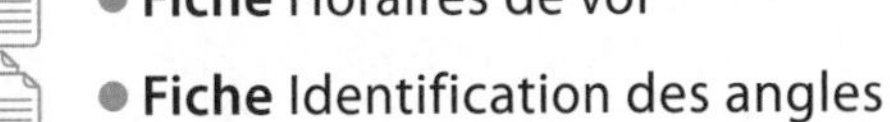

- **Fiches** Exercices : polygones et numération
- **Fiches** Trompe-l'œil : dessin et tracé
- **Mini-fichier** Constructor
- **Leçons** 3 et 4
- Jeu de la photo
- Cartes flash de géométrie

Devoirs

CM1

- **Pour la séance 1 :** revoir les tables de multiplication (enveloppe 1).
- **Pour la séance 2 :** s'entrainer à faire deux multiplications de nombres à deux chiffres par des nombres à deux chiffres.
- **Pour la séance 3 :** relire la Leçon 1.
- **Pour la séance 4 :** revoir les tables de multiplication (enveloppe 1).
- **Pour la séance 7 :** lire la Leçon 3.
- **Pour la séance 8 :** apprendre la Leçon 4 et tracer un carré dans son cahier.

CM2

- **Pour la séance 1 :** revoir les tables de multiplication (enveloppe 1).
- **Pour la séance 2 :** s'entrainer à faire deux multiplications de nombres à trois chiffres par des nombres à deux chiffres.
- **Pour la séance 3 :** relire la Leçon 1.
- **Pour la séance 4 :** revoir les tables de multiplication (enveloppe 1).
- **Pour la séance 7 :** lire la Leçon 3.
- **Pour la séance 8 :** apprendre la Leçon 4 et tracer un carré dans son cahier.

CE QU'IL FAUT SAVOIR

La pensée visuelle en mathématiques

Les mathématiques nécessitent la compréhension de nombreuses représentations : écriture, symboles, codages… ce qui pose particulièrement problème aux élèves en difficulté et à ceux qui souffrent de troubles des apprentissages.

Utiliser des supports visuels (schéma, graphique, vidéos, animations…) permet de construire une image mentale, d'illustrer les concepts, les relations entre les objets en jeu. Les outils numériques seront alors d'une aide précieuse, car ils peuvent traduire des processus complexes sous forme d'images. Une animation claire qui va à l'essentiel réduit le cout mental pour l'élève et lui sera utile pour acquérir des savoirs, notamment pour tout ce qui relève de la procédure. Cela demande de la pratique, tant pour l'enseignant-e que pour les élèves.

Sur le site Mathvisual, vous trouverez de nombreuses animations très parlantes que vous pourrez utiliser en classe entière ou en régulation.

Animations mathématiques
https://huit.re/mathvisuals

Multiplier par 10, 100, 1 000, 20…

Multiplier un nombre entier par 10 (puis par 100, 1 000) est une compétence souvent mal enseignée. En effet, on entend parfois qu'*« il suffit de rajouter un zéro »* ou qu'*« il faut déplacer la virgule »*. La technique fonctionne, mais l'élève ne comprend pas ce qu'il fait et, arrivé aux décimaux…, c'est la catastrophe ! Ces automatismes sont inefficaces car ils masquent les savoirs en jeu !
« Quand on multiplie un nombre par 10, cela signifie qu'on donne à chaque chiffre une valeur 10 fois plus grande. Le chiffre des unités devient donc le chiffre des dizaines, le chiffre des dixièmes devient celui des unités, etc. » Appuyez cet enseignement par la manipulation et avec le tableau CDU : le nombre se déplace et il faut donc écrire un zéro pour signaler l'absence d'unités.
On utilisera pour cela le **glisse nombres** : un outil permettant d'illustrer que lorsque l'on multiplie ou divise un nombre par une puissance de 10, ce n'est pas la virgule qui se déplace, mais les chiffres qui composent le nombre qui prennent une valeur 10 fois supérieure ou 10 fois inférieure.

Fabriquer le glisse nombre
https://huit.re/glisse-nombres

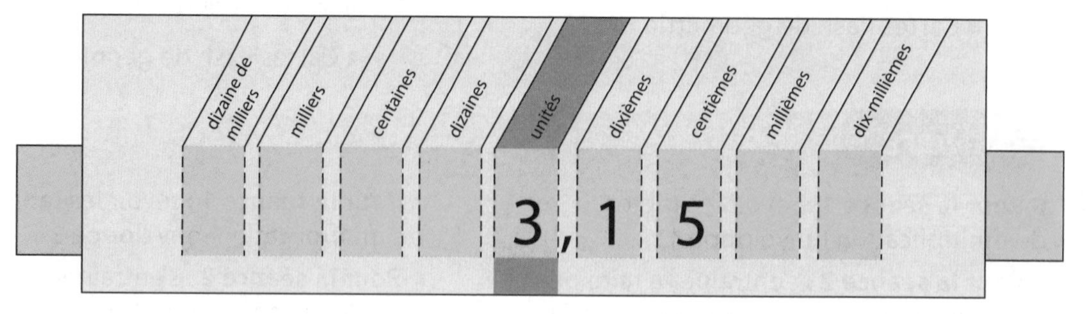

Cet outil permet ainsi d'éviter que les élèves construisent des procédures fausses conduisant à des erreurs régulièrement rencontrées comme 3,15 × 10 = 30,15 ou encore 3,15 × 10 = 3,150.
Cette formulation s'appuie sur le sens et sera efficace aussi avec les décimaux ! Soyez donc rigoureux.
Vous pouvez réaliser une affiche au besoin. La leçon qui formalise cet enseignement concernera les entiers et les décimaux et arrivera donc au module 18.
Pour multiplier par 20, il faut que les élèves pensent à décomposer : × 20 = × 2 × 10.

Les mini-fichiers Constructor

Ces mini-fichiers de géométrie sont très simples. Ils servent notamment d'entrainement au tracé des deux figures de base que sont le carré et le rectangle. Les réaliser sur papier blanc.

Exigez du soin et de la rigueur. Les élèves peuvent recommencer plusieurs fois si besoin.

Le chronomath

Cette activité est proposée sur tous les niveaux. Appréciée des élèves, elle n'est pas facile pour autant. Il faut réaliser les calculs donnés dans un temps limité (5 minutes). Pour la mise en œuvre, il est suggéré de suivre cette règle de limitation de temps et éventuellement de revenir sur les chronomaths plus tard pour les terminer.

Préciser aux élèves que la difficulté est globalement croissante ou que les calculs sont groupés par thématiques. Au module 9, les résultats des chronomaths seront repris pour construire un graphique d'évolution des scores !

MODULE 3

SÉANCES 1 ET 2

Activités ritualisées

● **Dictée de nombres** (× 5)
CM1 Grands nombres. CM2 Nombres décimaux avec des dixièmes.
Il s'agit ici de réactiver le travail du CM1 sur les décimaux.
Les nombres seront donnés sous la désignation « 3 virgule 5 » et « 3 unités et 5 dixièmes ».
Il ne faut pas « tout » vouloir réexpliquer, mais faire appel à leurs acquis. Ils reviendront dessus par la suite !

● Après la dictée, décryptez collectivement un nombre avec des questions sur le nombre de dizaines en CM1 ou le chiffre des dixièmes en CM2, etc.

Calcul mental

● S1 : s'entrainer à ajouter ou soustraire 99 en CM1 ou 999 en CM2 sur trois nombres entre 1 000 et 9 999.

● S2 : **additions à l'ardoise.** Ajouter 11 à un nombre entre 1 000 et 9 000. (× 6)
Confronter les procédures, rappel de la technique : *« ajouter 11, c'est ajouter 10 puis 1 ».*
Réaliser une affiche avec eux. Différencier la taille des nombres selon le niveau des élèves.

Résolution de problèmes

● **Mini-fichier Problèmes**
Résoudre le problème suivant collectivement : lecture individuelle, recherche courte à l'ardoise de la réponse (5 minutes), explicitation collective de la démarche, correction.

Apprentissage

CM1

● S1 : donner oralement le nombre 15 072.
Par groupes de deux ou trois, les élèves doivent reconstituer ce nombre avec les **cartons-nombres**. Correction collective. Écriture décomposée :
15 072 = 10 000 + 5 000 + 70 + 2
= 1 × 10 000 + 5 × 1 000 + 7 × 10 + 2
Écriture en lettres par l'enseignant-e sous la dictée des élèves.
Recommencer avec 105 975 et 650 308 en utilisant la même procédure, dans le cahier de maths.

● S2 : **Fiche Droites graduées**
Demander la valeur des graduations. Écrire au tableau les nombres 12 200, 11 800 et 11 900 et leur demander de les placer.
Puis, se placer sur le premier nombre (11 800), ajouter 250 et écrire le résultat. Surligner la partie de la droite graduée que cela représente. Sur ce résultat, soustraire 51.
L'idée est de voir que soustraire 50 avec la droite est facile, puis on soustrait 1 de tête.

CM2

● S1 : **Fiche Exercices numération**

● S2 : **Fiche Droites graduées**
Demander la valeur des graduations. Écrire au tableau les nombres 601 000, 602 000 et 599 000 et leur demander de les placer.
Puis, se placer sur le premier nombre (598 000), ajouter 2 500 et écrire le résultat. Surligner la partie de la droite graduée que cela représente. Sur ce résultat, soustraire 501.
L'idée est de voir que soustraire 500 avec la droite est facile, puis on soustrait 1 de tête.

MODULE 3

SÉANCES 3 ET 4

Activités ritualisées

● **Fiche *Rituel* Le nombre du jour** (▶ reprendre la fiche utilisée en module 2).
Donner à chaque fois un nombre avec des zéros, comme 1 250 030.

Calcul mental

● S3 : multiplier par 10 des nombres entre 100 et 900. (× 6)
Puis multiplier un nombre par 100. Confronter les procédures, synthèse. Essai sur deux autres exemples.

● S4 : **compléments à 100** CM1 **ou 1 000** CM2
Donner un nombre inférieur à 100 ou 1 000 et leur demander le complément, c'est-à-dire le nombre qui complète :
Exemple : 42 + … = 100 ; 420 + … = 1 000
Confronter les procédures. Essai sur trois autres exemples.
Il s'agit de voir que l'on complète d'abord à la dizaine suivante (8) ou centaine suivante (80), puis on compte les dizaines ou centaines manquantes pour aller à 100 (5 dizaines) ou 1 000 (5 centaines). C'est un rappel du cycle 2.

Résolution de problèmes

● **Problèmes simples sur l'heure** (× 2)
« Il est 12h15. Je pars dans 1 heure. Quelle heure sera-t-il quand je reviendrai ? »
Différencier selon le niveau. Il s'agit d'une première réactivation des connaissances sur l'heure que vous pourrez poursuivre en faisant régulièrement lire l'heure en classe.

Apprentissage

● S3 : **Fiche Horaires de vol :** laisser un temps de lecture individuelle puis réponse aux questions.

● S4 : **concours d'additions individuel**
Annoncer le mode de calcul du score : 10 points pour chaque addition juste, 20 points si les additions sont finies en moins de 6 minutes, 10 points si cela prend entre 6 et 15 minutes.
Dans tous les cas, arrêter tous ceux qui n'ont pas fini au bout de 15 minutes.

CM1

● Écrire (ou vidéoprojeter) au tableau les additions suivantes :
7 002 + 65 + 19 008 ; 9 + 25 991 + 800 ;
104 250 + 1 200 + 80 050
Correction : 26 075 ; 26 800 ; 185 500

● **Exercice**
Recopier et compléter l'exercice suivant dans le cahier.
Remplace le □ par un chiffre qui convient.

2 548 < 2 5□8 — 9 789 > 9□99
84 149 > 84 1□8 — □2 300 < 32 305
1□998 < 17 580 — 12 548 > 12 5□8

CM2

● Écrire (ou vidéoprojeter) au tableau les additions suivantes :
250 + 295 000 + 13 500 750 ; 75 009 + 11 +
224 000 + 5 000 980 ; 10,5 + 1,05 + 105,15
Correction : 13 796 000 ; 5 300 000 ; 116,7

● **Exercice**
Recopier et compléter l'exercice suivant dans le cahier.
Range les nombres du plus petit au plus grand.
125 000 000 ; 12 500 000 ; 1 250 000 ;
1 250 000 000 ; 25 000 000 ; 215 000

Activités ritualisées

CM1

- Compter de 25 000 en 25 000 à l'ardoise, le plus loin possible, sur un temps imparti.

CM2

- **Dictée de nombres** décimaux à l'ardoise. (× 5)

Calcul mental

- Interroger les tables de multiplication. (× 5)

- **Chronomath 1**

Bien expliquer qu'ils vont avoir 5 minutes pour faire toute la fiche.
Les élèves doivent faire les calculs dans l'ordre, en complétant d'abord ceux qu'ils connaissent. S'ils ne connaissent pas la réponse, ils essaient le calcul suivant. Une fois le Chronomath terminé, ils reprennent la fiche au début pour calculer ceux qui manquent en prenant un peu plus de temps.

Apprentissage

- Rappel collectif : « Qu'est-ce qu'un angle droit ? Comment on l'identifie ? »

- **Fiche Identification des angles :** identifier les angles qui sont droits.

Correction collective. Vérifier les stratégies. Expliciter (ou revoir pour les CM2) le vocabulaire : les droites sont perpendiculaires ou non perpendiculaires. Réaliser une affiche collective pour institutionnaliser le mot « perpendiculaire ». La leçon arrivera au module 10.

- Revoir le tracé de perpendiculaires collectivement. Les élèves effectuent le tracé dans leur cahier, en suivant les étapes que vous réalisez au tableau en explicitant les gestes et le vocabulaire :

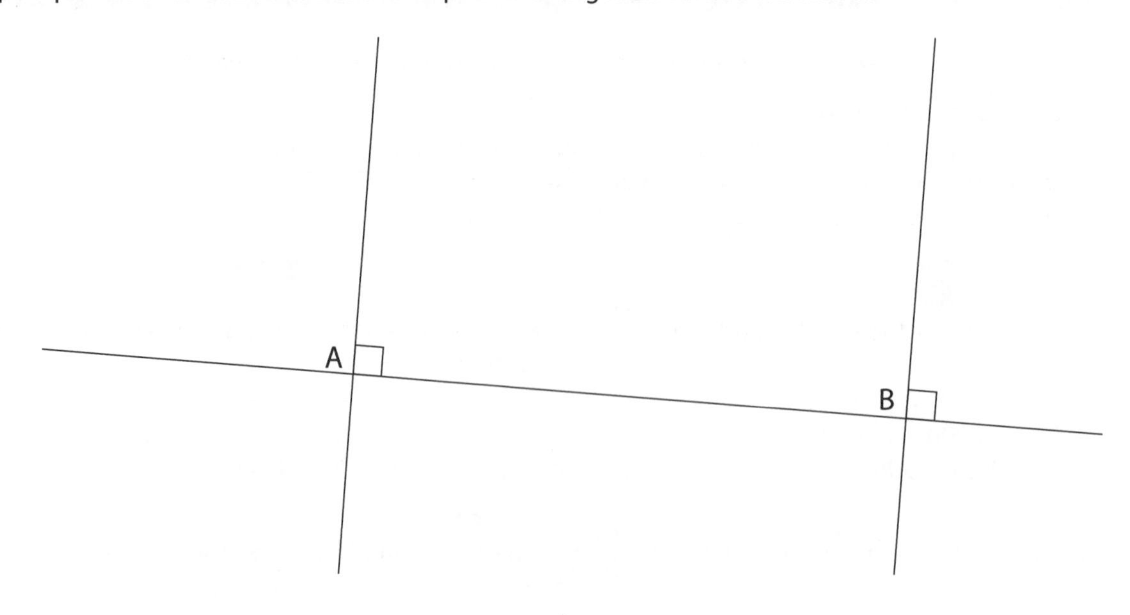

Régulation

● Pour construire cette séance, vous pouvez par exemple :

– faire un retour sur les devoirs ;

– organiser un temps de calcul mental d'une dizaine de minutes sur les techniques déjà vues ;

– organiser un temps d'autonomie/groupes de besoin de 45-50 minutes. Le module 3 arrive en milieu de période. Vous commencez à avoir une vision globale de la classe, mais aussi plus individualisée. Vous pourrez alors sur ce temps organiser plusieurs groupes de besoins pour répondre aux besoins de chacun :

– utiliser les jeux en place, voire un jeu de CE2 si besoin. Cela permet de cibler une compétence précise en leur donnant un temps d'entrainement dont certains ont encore besoin ;

– reprendre avec certaines élèves la méthodologie de résolution de problèmes et étudier les stratégies de recherche. Sans pression de temps, ils pourront essayer différentes démarches et on pourra les inciter à utiliser différents outils ;

– revoir la construction des nombres : avec les cartons-nombres ou le tableau de numération, les abaques… Pour les élèves les plus en difficulté, vous pouvez même fabriquer le **calepin des nombres** des CE2 et leur expliquer le fonctionnement ;

Le calepin des nombres
https://methodeheuristique.com/materiel/materiel-indiv/#more-117)

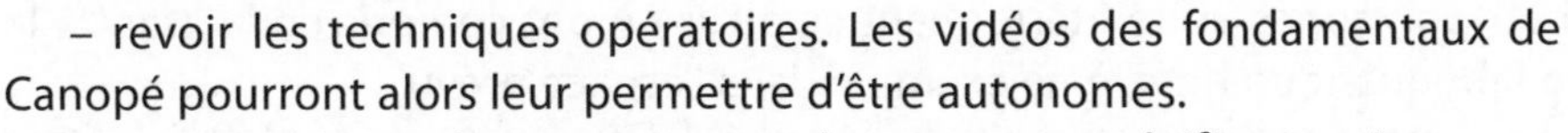

– revoir les techniques opératoires. Les vidéos des fondamentaux de Canopé pourront alors leur permettre d'être autonomes.
Vous pourrez alors soit vous consacrer à un groupe spécifique, soit tourner de groupe en groupe.

Notes personnelles

Activités ritualisées

- **S7 :** présenter la moitié des cartes flash de géométrie.

Demander comment s'appelle la forme présentée et de justifier (*« car elle a trois côtés, quatre côtés, des angles droits »*, etc.).
Faire preuve de précision sur le vocabulaire et expliciter si besoin. Cela peut être l'occasion de construire rapidement une affiche mémoire sur le vocabulaire afin de préciser les définitions.

- **S8 :** recommencer avec l'autre moitié des cartes flash.

- **S7-S8 : Jeu de la photo**

Reproduire ou afficher en grand format les figures 1 (S7) et 2 (S8). Ils ont trente secondes pour la regarder et la mémoriser, puis ils vont la reproduire à main levée dans leur cahier. On corrige en veillant au bon respect des proportions et de la forme proposée.

Apprentissage

S7

- Lecture collective de la **Leçon 3** sur les polygones en réinterrogeant ce qu'ils en ont compris en la lisant à la maison. Compléter la fiche de leçon en fabriquant un deuxième exemple dans l'espace prévu.

Cette leçon a été volontairement donnée en amont en devoirs, car elle représente globalement un rappel du cycle 2.

- **Fiche Exercices polygones**

- Lecture de la **Leçon 4**, puis les élèves commencent les **mini-fichiers Constructor**.

S8

- **Fiche Trompe-l'œil : dessin** (vidéoprojeter ou agrandir en A3). Leur demander ce qu'ils voient puis poser des questions :

CM1 « Lequel des cercles est le plus grand ? »
CM2 « Lequel des cercles gris est le plus grand ? »
On annonce que c'est une illusion d'optique et qu'on va vérifier si ce que perçoit notre œil est bien la réalité. Donner la fiche aux élèves par groupes de trois et leur demander de comparer la taille des cercles *(ils peuvent demander les outils de leurs choix : compas, calque, découper la feuille, etc.).*
Synthèse collective : les cercles sont les mêmes. Expliciter ce qu'est un trompe-l'œil.

- **Fiche Trompe-l'œil : tracé**

Objectif : construire le même trompe-l'œil pour le faire à la maison.
CM1 Écrire le programme de construction au tableau.
Dans le premier rectangle :
1. Tracer les segments qui relient A et C, puis B et D.
2. Les deux segments se coupent en un point O.
3. Tracer le cercle de centre O et de rayon 2 cm.
4. Recommencer les trois précédentes étapes dans le rectangle de droite.
5. Colorier.
CM2 Les laisser trouver seuls.

MODULE 4

8 SÉANCES

Objectifs majeurs du module

CM1

- Les calculs multiplicatifs
- Encadrer un nombre
- Le périmètre
- Le cercle

CM2

- Les calculs multiplicatifs
- Encadrer un nombre
- Le périmètre
- Le cercle

Matériel

CM1

- **Chronomath 2**
- **Fiche** Chaine de calculs

- **Fiche** Exercices périmètre
- **Fiche** Exercices losange

- **Mini-fichier** Circulo

- **Leçons** 5 et 6

- **Jeux** de la photo et MultipliDé**

CM2

- **Chronomath 2**

- **Fiche** Chaine de calculs
- **Fiche** Exercices losange

- **Mini-fichier** Circulo

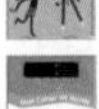

- **Leçons** 5 et 6

- **Jeu** MultipliDé**

Devoirs

CM1

- **Pour la séance 2 :** revoir les tables de multiplication (enveloppe 1).
- **Pour la séance 3 :** relire la Leçon 4 et tracer dans le cahier un carré de 6 cm de côté.
- **Pour la séance 4 :** revoir les tables de multiplication (enveloppe 1).
- **Pour la séance 5 :** apprendre la Leçon 5.
- **Pour la séance 7 :** avec une ficelle de 20 cm, trouver le périmètre de la table de leur maison (en nombres de ficelles et en cm).
- **Pour la séance 8 :** tracer un cercle de rayon 8 cm et un autre cercle de rayon 4 cm.

CM2

- **Pour la séance 2 :** revoir les tables de multiplication (enveloppe 1).
- **Pour la séance 3 :** relire la Leçon 4 et tracer dans le cahier un rectangle de 8 cm de longueur et 3 cm de largeur.
- **Pour la séance 4 :** revoir les tables d multiplication (enveloppe 1).
- **Pour la séance 5 :** apprendre la Leçon 5.
- **Pour la séance 7 :** avec une ficelle de 20 cm, trouver le périmètre de la table de leur maison (en nombres de ficelles et en cm).
- **Pour la séance 8 :** tracer un cercle de rayon 8 cm et un autre cercle de rayon 4 cm.

CE QU'IL FAUT SAVOIR

Le périmètre

Les élèves vont rencontrer plusieurs difficultés :

– limitation de leur compréhension à l'aspect « résultat d'un calcul obtenu par une formule » ;

– risque d'ajouter toutes les dimensions disponibles, sans retour au sens ;

– comptage des carreaux avec un quadrillage (intérieurs ou extérieurs ?) ;

– risque de considérer que le périmètre de la figure composée avec deux figures partageant un côté est la somme des périmètres de chaque figure ;

– confusion avec le concept d'aire (l'origine du mot *périmètre* pourra aider, et c'est pour cela que cela fait partie de la leçon. On y fera donc régulièrement référence) ;

– mauvaise association de la forme au périmètre, or on peut avoir deux figures non superposables qui ont le même périmètre.

Le losange

Le losange fait partie de la programmation CE2. L'activité proposée ici est une activité de réactivation dont l'objectif est essentiellement de revoir la définition du losange. Il reste volontairement de la place sur la Leçon 3 pour l'ajouter.

Encadrer un nombre

Encadrer un nombre, c'est le situer entre deux autres nombres. On travaillera généralement l'encadrement par deux nombres précis : encadrer par deux dizaines, deux centaines consécutives... On utilisera la droite graduée pour visualiser.

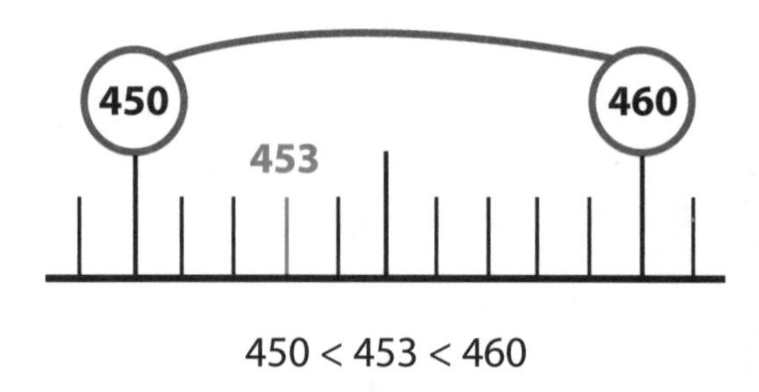

450 < 453 < 460

Par la suite, on travaillera sur « arrondir un nombre ». Il s'agit alors de remplacer le nombre par un autre le plus proche possible avec une précision déterminée : à l'unité près, à la dizaine près, etc.

Les devoirs de la ficelle

On distribue un morceau de ficelle de 20 cm de long à chaque élève. La tâche est simple : chez eux, ils doivent mesurer le périmètre d'une table (peu importe sa forme) et écrire dans le cahier le nombre de ficelles (c'est l'unité) utilisé pour mesurer la table, puis convertir ce résultat en centimètres.

Ce travail personnel pourra faire l'objet d'un retour en séance de régulation.

MODULE 4 SÉANCE 1

Activités ritualisées

- Donner un nombre et leur demander s'il est plus petit ou plus grand qu'un autre nombre donné. (× 5)

Exemples :

CM1 *« Est-ce que 97 325 est plus grand que 100 000 ? »*

CM2 *« Est-ce que 3,75 est plus petit que 4 ? »*

Les élèves de CM2 ont normalement des acquis sur les nombres décimaux. Il s'agit de réactiver ces connaissances, mais pas de tout reprendre.

Calcul mental

CM1

- **Fiche Chaine de calculs**

Ils ont deux minutes pour compléter leur fiche.

CM2

- **Fiche Chaine de calculs**

Ils ont deux minutes pour compléter leur fiche.

Résolution de problèmes

- **Mini-fichier Problèmes**

Résoudre le problème suivant du mini-fichier en autonomie : ils lisent l'énoncé seuls et cherchent la réponse. Le temps donné doit être limité et contraint (10 minutes maximum).

Il s'agit d'étayer individuellement. La correction est individuelle et sera reprise au besoin en régulation.

Apprentissage

- **L'encadrement des nombres**

Faire écrire le nombre 752. Demander un nombre avant, un nombre après. Confronter les solutions.

Montrer que cela peut s'écrire …< 752 < … et que cela s'appelle un encadrement.

Définition : *« encadrer un nombre, c'est placer ce nombre entre deux autres, l'un plus petit que lui, l'autre plus grand. » C'est un rappel du CE2.*

Dessiner/reproduire au tableau la portion de droite graduée que cela représente et montrer l'encadrement sur la droite.

Faire écrire le nombre 5 733. Demander de l'encadrer par la dizaine précédente et par la dizaine suivante. Corriger collectivement (droite graduée).

Écrire quatre nombres au tableau. Ils donnent pour chaque nombre un encadrement à la dizaine dans leur cahier.

- **L'encadrement des nombres**

Rappeler ce qu'est un encadrement. Donner plusieurs exemples.

Au besoin, faire construire une affiche ou une trace écrite pour rappel.

Définition : *« encadrer un nombre, c'est placer ce nombre entre deux autres, l'un plus petit que lui, l'autre plus grand. »*

Demander ensuite de construire un encadrement de plusieurs nombres entiers, à la dizaine, à la centaine ou au millier.

Le travail sera fait dans le cahier.

Ils travaillent ensuite sur des nombres décimaux en dixièmes.

Activités ritualisées

Exercice : sur l'ardoise, les élèves dessinent un tableau avec trois colonnes : km, m, mm.
Donner le nom d'un objet et ils tracent une croix dans la colonne correspond à l'unité dont on a besoin pour mesurer la distance demandée.
Poser les questions suivantes :
« Pour mesurer l'épaisseur d'une assiette, l'unité est… »
« Pour mesurer la distance entre Paris et Le Havre, l'unité est… »
« Pour mesurer la longueur d'une fourmi, l'unité est… »
« Pour mesurer la hauteur d'un immeuble de 10 étages, l'unité est… ».
Si les réponses sont farfelues, donnez un ordre de grandeur.

Avec leur tableau de conversion, faire les conversions suivantes :

1 km = … m
1 m = … mm
18 m = … cm
53 hm = … mm

Ces valeurs sont à adapter selon le niveau des élèves.

Apprentissage

CM1

Découverte de la notion de périmètre
Distribuer la **Fiche Exercices périmètre**.
Les élèves cherchent en binômes les réponses à l'exercice 1. Correction collective.
Puis ils font l'exercice 2 en individuel. Correction collective..

CM2

Réactiver la notion de périmètre
Par groupes de trois, les élèves fabriquent une affiche au format A3 pour expliquer ce qu'est un périmètre en mathématiques. Ils ont à leur disposition leurs souvenirs de CM1 et les dictionnaires.
Sur l'affiche, on doit trouver une définition et un exemple.
Le temps est limité.

Distribution et lecture collective de la **Leçon 5** sur le périmètre.
Avec les CM2, on compare la leçon avec leurs affiches.

MODULE 4

SÉANCES 3 À 6

Activités ritualisées

CM1

- À l'ardoise, les élèves écrivent un nombre (n'importe lequel qui réponde aux conditions demandées) qui compte :

S3 : 325 milliers et 915 milliers
S4 : 403 centaines et 79 dizaines de mille

CM2

- À l'ardoise, les élèves écrivent un nombre (n'importe lequel qui réponde aux conditions demandées) qui compte :

S3 : 2 985 milliers et 650 dizaines de mille
S4 : 99 centaines de mille et 2 944 millions

- **S5/S6 :** écrire au tableau la comparaison 89 ☐ 35 < 89 798.
Les élèves doivent écrire sur l'ardoise un chiffre qui remplace ☐ et qui vérifie la comparaison (ici 6, 5, 4, 3, 2, 1 fonctionnent). Proposer deux nombres à chaque séance *(différencier selon le niveau des élèves).*

Calcul mental

- **S3 :** expliquer collectivement les règles du **Jeu MultipliDé**** en faisant un début de partie.

CM1

- **S4 :** revoir les doubles des nombres :
6, 8,10, 30, 50 et 100.
- **S5/S6 :** multiplier par 10 et 100 des nombres < 1 000. (× 4)
- **S3/S4 :** ajouter un nombre entier de centaines à un nombre > 1 000. (× 4)
- **S5/S6 :** revoir les compléments à 100. (× 4)

CM2

- **S4 :** revoir les moitiés des nombres :
6, 8,10, 30, 50 et 100.
- **S5/S6 :** multiplier par 10 et 100 des nombres < 10 000. (× 4)
- **S3/S4 :** ajouter un nombre entier de milliers à un nombre > 10 000. (× 4)
- **S5/S6 :** revoir les compléments à 1 000. (× 4)

Apprentissage

4 ateliers à mettre en place, à faire tourner sur les 4 séances.

Atelier 1

- **Mini-fichier Problèmes :** résoudre deux problèmes en autonomie.

Atelier 2

- **Fiche Exercices losange.** Faire copier la définition dans la Leçon 3 :
CM1 *« Le losange est un quadrilatère qui a 4 côtés de même longueur. »*
CM2 Ajouter *« Le carré est un losange particulier, car il a en plus 4 angles droits. »*
- **Mini-fichier Constructor :** les élèves avancent à leur rythme.

Atelier 3

- Les élèves s'interrogent mutuellement en binômes avec leurs enveloppes de tables de multiplication pendant 5 minutes.
- **Jeu MultipliDé** :** jouer par groupes de trois élèves.

Atelier 4

- **Jeu La grande course**
- **Jeu Le voyage spatial**

Régulation

- Pour construire cette séance, vous pouvez par exemple :
- faire un retour sur les devoirs ;
- organiser un temps de calcul mental de 10 minutes autour des tables d'addition ou de multiplication ;
- organiser différents ateliers/groupes de besoin. Par exemple :
  - finir des travaux non terminés ;
  - revenir sur un travail autour de la construction des nombres pour les élèves en difficulté ;
  - reprendre les techniques de tracés en géométrie (mini-fichier Constructor).

Cette séance peut aussi être un moment d'**évaluation formative** en prenant des petits groupes d'élèves sur de courtes tâches. On pourra aussi échanger avec les élèves sur leurs connaissances, faire un point sur ce qu'ils savent faire, les difficultés qu'ils rencontrent et expliciter comment faire pour surmonter ensemble ces problèmes.

Activités ritualisées

- **Jeu de la photo :** figure 3. Montrer la figure. Les élèves ont 30 secondes pour la mémoriser. Ils doivent ensuite la reproduire à main levée. Corriger collectivement en veillant au bon respect des proportions et de la forme proposée.
- Avec leur tableau de conversion, faire les conversions suivantes avec tous les élèves :

1 cm = …mm ; 1 km = … mm

Puis : CM1 15 m = … mm ; 1 900 cm = … mm. CM2 108 m = …mm ; 175 000 mm = …km.

Calcul mental

- **Chronomath 2**

Apprentissage

- **Le cercle :** mettre les élèves en binômes et leur donner une feuille AA blanche. Consignes :
- placer au milieu de la feuille un point O au crayon à papier ;
- placer au feutre bleu des points à 10 cm de celui-ci *(en faire le plus possible, au moins une quinzaine) ;*
- placer en vert des points à moins de 10 cm (donner des exemples : 1, 3, 6, 8…) ;
- placer en rouge des points à plus de 10 cm.

Afficher les feuilles au tableau. Leur demander ce qu'ils constatent. S'ils ne voient rien, leur demander de ne s'occuper que des points bleus. Sont-ils disposés au hasard ? Faire remarque que si on les relie et qu'il y en a beaucoup, on retrouve une figure connue… le cercle. Expliquer que c'est la définition du cercle : *« l'ensemble des points situés à la même distance du point O. »* Puis demander à quoi correspondent les points verts : c'est le disque. Distribution et commentaire de la **Leçon 6 sur le cercle**.

- **Mini fichier Circulo**

Faire avec eux la première fiche en explicitant la procédure pour analyser la figure, la reproduire, les conditions et exigences de tracé. S'il reste du temps, ils font la deuxième fiche.

MODULE 5

7 SÉANCES

Objectifs majeurs du module

CM1

- Les fractions
- Les techniques opératoires
- La mesure de longueur, le périmètre

CM2

- Les encadrements
- Les techniques opératoires
- La mesure de longueur, le périmètre

Matériel

CM1

- **Fiche** *Rituel* Le nombre du jour (2)
- **Fiche** Bandes unités
- **Fiche** Segments à mesurer *
- **Fiche** Diagramme
- **Mini-fichier** Architecte
- **Mini-fichier** Calculus
- **Mini-fichier** Circulo

- **Leçons** 5 et 7

CM2

- **Fiche** *Rituel* Le nombre du jour (2)
- **Fiche** Exercices encadrements
- **Fiche** Diagramme
- **Mini-fichier** Architecte
- **Mini-fichier** Calculus
- **Mini-fichier** Circulo

- **Leçons** 5 et 7

*Soyez vigilants sur l'impression des documents. Parfois la taille des segments change au regard des réglages des imprimantes/photocopieurs…

Devoirs

CM1

- **Pour la séance 2 :** apprendre la leçon 6.
- **Pour la séance 3 :** dessiner dans le cahier la moitié d'une orange, le quart d'une pizza.
- **Pour la séance 4 :** revoir les tables (enveloppes 1 et 2).
- **Pour la séance 5 :** apprendre la première moitié de la leçon 7.
- **Pour la séance 6 :** revoir les tables de multiplication (enveloppes 1 et 2).
- **Pour la séance 7 :** relire la leçon 5.

CM2

- **Pour la séance 2 :** apprendre la leçon 6.
- **Pour la séance 3 :** tracer un cercle de rayon 4,5 cm, et un autre de rayon 8,5 cm dans le cahier.
- **Pour la séance 4 :** revoir les tables (enveloppes 1 et 2).
- **Pour la séance 5 :** apprendre la leçon 7.
- **Pour la séance 6 :** revoir les tables de multiplication (enveloppes 1 et 2).
- **Pour la séance 7 :** relire la leçon 5.

MODULE 5

CE QU'IL FAUT SAVOIR

Les mini-fichiers Calculus

Il s'agit d'activités de calcul mental. Il ne faut pas les proposer en dehors des séances prévues au module 15, car ces fiches seront faites sur des séances ciblées pour faciliter la correction et l'explicitation des procédures. Les élèves pourront travailler en autonomie sur ces mini-fichiers à partir du module 15.

Les fractions

Les élèves de CM1 vont découvrir les fractions et les élèves de CM2 vont réactiver leurs connaissances. La compréhension de cette notion est importante pour la suite des apprentissages : **une fraction n'est pas un nombre, mais une écriture possible d'un nombre** (faire le lien avec les différentes écritures des nombres travaillées depuis le CP sur les fleurs numériques). L'enseignement doit être explicite et rigoureux, notamment sur le langage : on dit bien « deux tiers » pour $\frac{2}{3}$ et non « 2 sur 3 » ou « 2 divisé par 3 » (trop précoce).

La découverte s'appuie sur des activités de manipulation dans lesquelles l'élève fait lui-même le partage en parties égales d'un tout. Par la suite, on travaillera sur le partage d'une collection d'objets. Cette manipulation permet à l'élève de prendre conscience que chaque partie est égale pour interpréter la relation entre le numérateur et le dénominateur (par rapport à l'unité choisie). Il doit comprendre que la fraction $\frac{1}{2}$ est la même, quelle que soit la façon de partager (penser au carré !). Cela permet aussi à l'élève de faire implicitement le lien *partage – division – fraction*.

Pour réfléchir sur la mise en œuvre détaillée de la séance 1, vous pouvez consulter le document de Sébastien Moisan.

Le travail sur les fractions est parfois circonscrit au partage de disques (gâteaux), qui présente une limite : celle de l'unité ! Une fois que le disque est partagé, il ne reste rien. En travaillant sur la mesure de longueurs, on n'est pas confronté à ce problème, car on peut reproduire l'unité de mesure autant de fois que nécessaire et donc travailler sur des fractions plus grandes que 1. Cela facilitera par la suite le lien à la droite graduée qui est difficile pour beaucoup d'élèves. On utilisera des Legos pour la même raison.

Graphique : la taille des élèves

Ce travail de création de graphique est important pour donner du sens aux outils de gestion de données. Plusieurs points de vigilance :

- vous pouvez fabriquer la toise ou l'apporter pour simplifier les mesures ;
- l'échelle proposée sur le document peut être inadaptée, changez-la au besoin ;
- il est intéressant que les CM2 recommencent l'activité, même s'ils l'ont déjà faite l'année précédente.

Activités ritualisées

● Afficher une droite graduée au tableau avec toutes les dix graduations les nombres suivants :
CM1 17 000 ; 18 000 ; 19 000. CM2 517 000 ; 518 000 ; 519 000.

● Demander combien vaut une graduation. Ils l'écrivent à l'ardoise. Correction et explication collective. Revenir sur le fait que la valeur des écarts peut varier. Recommencer avec les nombres suivants :
CM1 53 500 ; 54 500 ; 55 500. CM2 98 500 ; 99 000 ; 99 500.

Calcul mental

● **Problème oral :** *« Si un kilo de tomates coute 1 € 50, est-ce que je peux acheter 6 kg de tomates avec 10 € ? »*

● **Problème oral :** *« Si un kilo de tomates coute 2 € 25, est-ce que je peux acheter 8 kilos de tomates avec 20 € ? »*

Recherche en binômes à l'ardoise (5 minutes). Correction et explicitation collective.

● **Multiplications à un chiffre (sans poser) :** montrer comment on calcule 27 × 6, en verbalisant avec attention : *« Je multiplie les unités avec les unités, puis je multiplie les unités avec les dizaines ».*
Insister sur la mise en mémoire des étapes intermédiaires.
À l'ardoise, ils calculent : 16 × 5 ; 21 × 4 ; 33 × 5 (leur laisser trente secondes par opération).
Si c'est acquis pour les CM2, donner des nombres à deux chiffres.

Résolution de problèmes

● **Mini-fichier Problèmes** : résoudre un problème collectivement. Lecture individuelle, recherche courte à l'ardoise (5 minutes), explicitation collective de la démarche, correction.

Apprentissage

CM1

● **Découverte des fractions : Fiche Bandes unités.**

1. Demander de mesurer la largeur de la table : cela ne tombe pas juste, il faut partager l'unité.

2. Demander de partager la bande en deux parties égales. Temps de recherche rapide. *« Comment noter le nom de chaque partie ? » (« moitié », mais on dit aussi « un demi »)* L'écrire sur chaque partie. Demander s'ils connaissent l'écriture mathématique et si besoin la donner : $\frac{1}{2}$. Puis demander la longueur de la bande entière et quelles écritures mathématiques on peut proposer : $\frac{1}{2} + \frac{1}{2} = 1$. Réaliser une affiche mettant en correspondance les bandes et les écritures mathématiques.

3. Plier la bande en quatre parties égales. Temps de recherche rapide. *« Comment noter le nom de chaque partie ? » (La moitié de la moitié, c'est un quart.)* On note de l'autre côté. En binômes, ils comparent une bande partagée en deux et une bande partagée en quatre. Demander de trouver des égalités.

CM2

● **Fiche Exercices encadrements**

Donner l'exercice 1. Correction collective.
Lire collectivement la **Leçon 7** sur les encadrements.
Faire plusieurs exemples sur les arrondis.
Puis faire les autres exercices de la fiche.

Apprentissage

4. Fiche Segments à mesurer

Demander de mesurer les segments à partir de la bande unité. Recherche en binômes. Mise en commun. Comparer les procédures. Correction collective en écrivant au tableau les résultats sous la forme : 1 demi de u, 3 quarts de u…

Conclusion : *« On s'est servi de nombres plus petits que 1 pour mesurer. Ces nombres étaient déjà utilisés à l'époque des Égyptiens. On les appelle les fractions. »*

On écrit : 1 demi = $\frac{1}{2}$ et 1 quart = $\frac{1}{4}$, en explicitant le sens du numérateur et du dénominateur.

Activités ritualisées

● **Fiche *Rituel* Le nombre du jour (2) :** faire une fiche par séance.
Choisir un nombre qui correspond à la droite graduée proposée sur la fiche.

Calcul mental

● S2 : interroger les résultats des tables de multiplication. (× 10)

● S3/S4 :
CM1 Donner une multiplication d'un nombre à deux chiffres par un nombre à un chiffre.
CM2 Donner une multiplication d'un nombre à deux chiffres par un autre nombre à deux chiffres : 13, 15…
Les élèves ont 1 minute pour calculer. Correction collective en verbalisant les étapes. (× 3)

● S5 : ajouter 18 à un nombre > 1 000. (× 3)
Voir qu'il faut décomposer : + 10 + 8 *ou* + 20 – 2…

Résolution de problèmes

● **Mini-fichier Problèmes** : résoudre le problème suivant collectivement : lecture individuelle, recherche courte à l'ardoise de la réponse (5 minutes), explicitation collective de la démarche, correction.

Apprentissage

4 ateliers à mettre en place, à faire tourner sur les 4 séances.

Atelier 1

● **Revoir les techniques opératoires :** donner des opérations au tableau à résoudre dans le cahier. Ils s'autocorrigent avec la calculatrice.
Le choix des opérations est fait selon les besoins des élèves (additions, soustractions, multiplications, ou divisions en CM2). La taille des nombres ne doit pas dépasser les quatre chiffres. Fournir les aides éventuellement nécessaires.

Atelier 2

● Lecture de la première moitié de la **Leçon 7** sur les encadrements. Donner quelques exemples.

● **Jeu Multiplidé**** ou Multiplipotion.

● Donner des bâtons (de glace ou autre) aux élèves. Demander qu'ils colorent le quart en vert et la moitié en rouge (sur le même bâton ou sur un autre). Demander combien il y a de quarts dans un bâton et qu'ils le représentent d'une façon ou d'une autre.

● **Jeu Multiplidé**** ou **Multiplipotion.**

Atelier 3

● **Mini-fichier Problèmes :** résolution de problèmes en autonomie.

Atelier 4

● Relecture individuelle de la **Leçon 5** sur le périmètre.

● **Mini-fichier Architecte :** faire la première fiche avec eux, puis ils avancent à leur rythme.
Pendant les récréations, demander à un groupe d'élèves de mesurer le périmètre de la cour (ou d'une partie de la cour pour éviter des zones trop complexes). Leur faire utiliser un décamètre.

Régulation

Cette séance intervient **quand vous voulez** entre la séance 2 et la séance 5.

Pour construire cette séance, vous pouvez par exemple :
- prévoir un temps de calcul mental de 10 minutes autour des tables d'addition ou de multiplication ;
- organiser différents ateliers. Par exemple :
  - finir des travaux non terminés ;
  - faire un temps d'évaluation formative : échanger avec les élèves sur leurs connaissances, faire un point sur ce qu'ils savent faire, les difficultés qu'ils rencontrent et expliciter comment faire pour surmonter ensemble ces problèmes ;
  - revenir sur la notion d'encadrement qui est compliquée. Vous pouvez utiliser les outils disponibles, notamment la droite graduée. Faites manipuler, verbaliser. Sur le site, dans le matériel, vous trouverez le tableau des nombres de 1 à 1 000 qui pourra être utile pour s'entrainer sur cette compétence ;
  - reprendre les techniques de tracés en géométrie et observer les élèves pour analyser finement ce qui peut créer les difficultés : tenue de l'outil, coordination œil-main, consigne, compréhension du lexique…

Activités ritualisées

- Demander de rappeler quelle unité de mesure est associée à quelle action (pour peser, mesurer une longueur, mesurer une contenance).
- Avec leur tableau de conversion, faire quatre conversions de mesures de longueur *(adapter selon le niveau).*
- Demander la définition du périmètre. Avec la ficelle de 20 cm, les élèves cherchent le périmètre de leur table de classe (en binômes ou en ilots).

Calcul mental

- **Mini-fichier Calculus :** présentation du mini-fichier, mode de fonctionnement, réalisation de la première fiche individuellement, puis correction.

Résolution de problèmes

- **Mini-fichier Problèmes :** résoudre le problème suivant en autonomie. Ils lisent l'énoncé seuls et cherchent la réponse. Le temps donné doit être limité et contraint (10 minutes maximum).
Il s'agit d'étayer individuellement. La correction est individuelle et sera reprise au besoin en régulation.

Apprentissage

- **Graphique : la taille des élèves.**

L'objectif de l'activité est de mesurer la taille (en cm) de tous les élèves de la classe, puis de les noter dans la **Fiche Diagramme** que l'on va construire avec eux.

Taille des élèves de la classe

< 1m20 | de 1m20 à 1m30 | de 1m30 à 1m40 | de 1m40 à 1m50 | > 1m50

Mettre les élèves par trois : deux élèves mesurent le troisième à chaque fois. On note sur une liste d'élèves la taille obtenue (sur une grande affiche) et on change les trinômes pour que tous les élèves aient le temps de le faire, pendant que les autres sont en autonomie sur le **Mini-fichier Circulo.**
Pour la mesure, on prépare en amont une toise et on utilise l'équerre de la classe pour avoir une marque la plus juste.
Quand on a toutes les mesures, on repasse en collectif et on leur demande de compter le nombre d'élèves dans chaque catégorie. *On change les catégories au besoin…*
Puis on construit collectivement le diagramme à partir du document préparé. Une fois le diagramme fait et corrigé collectivement, on pourra interroger sur la lecture du diagramme : *« dans quelle catégorie y a-t-il le moins d'élèves ? »*, etc.
On pourra recommencer en toute fin d'année, pour comparer l'évolution.

MODULE 6

6 SÉANCES

Objectifs majeurs du module

CM1

- Les fractions
- Les programmes de construction
- La technique de la multiplication
- Les encadrements

CM2

- Les fractions
- Les programmes de construction
- La technique de multiplication

Matériel

CM1

- **Fiche** Exercices encadrements
- **Fiches** Fractions : consignes et matériel

- **Fiche** Images multiplication
- **Fiche** Programme de construction
- DEVOIRS Bandes unités et segments

- **Leçon** 8

@ • Cartes flash fractions

CM2

- **Fiche** Activité de tri
- **Fiches** Exercices fractions
- **Fiche** Programme de construction
- **Fiche** Rédaction du programme
- DEVOIRS Fractions sur une droite graduée

- **Leçon** 8

- **Jeu** Domino des fractions

- Cartes flash fractions

Devoirs

CM1

- **Pour la séance 2 :** séparer une bande de 21 cm en huit parties égales sans mesurer. Sur la bande, colorier la partie représentée par $\frac{1}{8}$ en rouge et par $\frac{1}{4}$ en bleu.
- **Pour la séance 3 :** apprendre la Leçon 8.
- **Pour la séance 4 :** revoir les tables de multiplication (enveloppes 1 et 2).
- **Pour la séance 5 :** Fiche DEVOIRS mesurer les segments avec la bande unité de 16 cm.

CM2

- **Pour la séance 2 :** séparer une bande en six parties égales sans mesurer. Sur la bande, colorier la partie représentée par $\frac{1}{6}$ en rouge et par $\frac{1}{3}$ en bleu.
- **Pour la séance 3 :** apprendre la Leçon 8.
- **Pour la séance 4 :** revoir les tables de multiplication (enveloppes 1 et 2).
- **Pour la séance 5 :** Fiche DEVOIRS.

CE QU'IL FAUT SAVOIR

La droite graduée

Un modèle à construire et plastifier (ou à vidéoprojeter) est à votre disposition sur le site.

Cette droite graduée va permettre de travailler le **lien entre la distance** (notion géométrique correspondant au nombre de graduations) **et l'écart** (notion numérique). Un nombre va donc désigner à la fois un trait (une graduation) et une distance par rapport à l'origine. On peut aussi la représenter avec des points à la place des traits.

La droite graduée est un outil qui va aider à donner du sens à différents points travaillés tout au long de l'école élémentaire :
- comprendre que 20 est deux fois plus grand que 10 (lien à la notion de double) et 50 est cinq fois plus loin de 0 que 10 ;
- comprendre que 5 est à la même distance de 0 que de 10 (lien à la notion de milieu/moitié) ;
- repérer que l'écart est le même entre 9 et 17 qu'entre 10 et 18 ;
- rechercher des compléments, effectuer des soustractions ;
- comparer, ranger, encadrer, intercaler des nombres entiers et décimaux.

En cycle 3, l'élève doit comprendre que la valeur entre deux graduations peut varier ; ce n'est pas forcément « 1 ». C'est une étape complexe qui demande de l'abstraction. En régulation, on pourra les aider à comprendre en fabriquant avec eux des règles avec des rouleaux de papier blanc (pour les calculatrices qui impriment) et les dérouler pour fabriquer des droites graduées de différentes façons. On peut utiliser la règle de la classe et montrer qu'il y a 10 cm entre toutes les grandes graduations, puis expliquer que l'on pourrait remplacer par 1 dm : on saute alors d'une graduation à l'autre en faisant + 1 et non + 10. C'est la question (complexe) de l'unité de référence.

Le signe =

Le signe = fait partie des symboles mathématiques vus par les élèves depuis le CP.

Toutefois, ils en ont parfois construit une fausse représentation. Le signe ne sert pas seulement à donner le résultat d'une opération. Il se place aussi entre deux différentes écritures d'un nombre. Les expressions de chaque côté du signe = sont donc équivalente.

Ainsi, d'un point de vue algébrique, 4 + 4 est bien une autre écriture du nombre 8, symbolisée par 4 + 4 = 8.

La compréhension du signe est réinterrogée au moment du travail sur les décimaux.

Oralement, on emploie parfois l'expression « ça donne, ça fait » pour le signe égal. On préférera « égale » ou « équivaut à ».

Une grande rigueur est donc nécessaire pour éviter des enchainements de calculs faux.

Le carré et le rectangle CM1

L'activité a pour objectif de se poser la question : *« un carré est-il un rectangle ? »* Question importante, à laquelle ils doivent répondre en argumentant. Il faut pour cela reprendre la définition qu'ils ont de ce qu'est un rectangle. Cela peut être l'occasion de faire une carte mentale partielle.

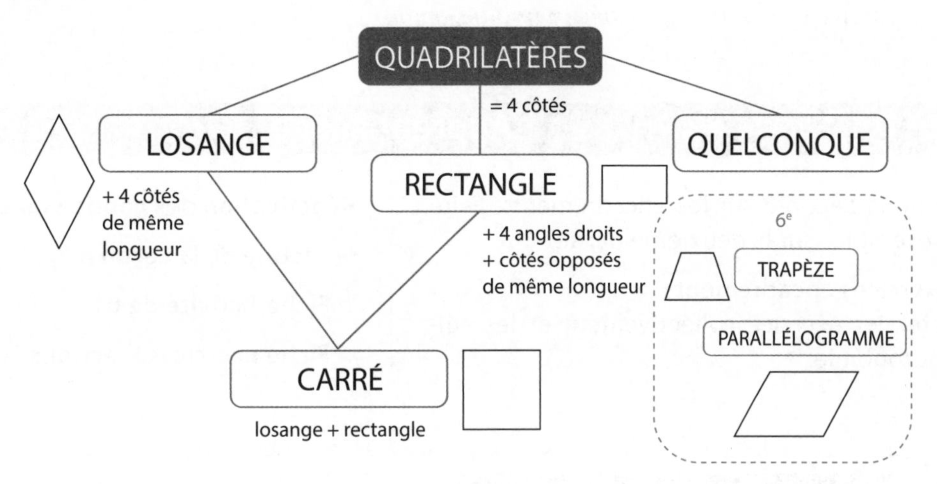

La lecture de l'heure

Il est nécessaire de revoir la lecture de l'heure, l'expérience prouvant qu'elle n'est pas toujours acquise en cycle 3. En effet, les élèves utilisent aujourd'hui majoritairement des affichages analogiques. Pour accompagner cette révision, je vous conseille d'utiliser régulièrement l'horloge et de leur faire lire l'heure plusieurs fois par jour.

Les élèves qui ont connu la méthode ont travaillé la lecture de l'heure chaque année au cycle 2 avec les **mini-fichiers Horodator**. Vous pouvez les utiliser en remédiation au besoin.

Activités ritualisées

- Demander aux élèves de dessiner un cercle dans le cahier, puis de le séparer en deux parties égales. Recommencer avec un carré. Comparer les réponses obtenues (plusieurs possibilités pour le carré).
« Comment peut-on vérifier que les parties sont égales ? » *(par pliage)*
« Comment appelle-t-on une des parties ? » *(moitié, demi)*

Apprentissage

- Lecture de la **Leçon 7** sur les encadrements. Faire quelques exemples sur la deuxième partie.
- **Fiche Exercices encadrements**
Faire le premier exercice collectivement et les suivants en autonomie.

Réactivation des connaissances

- Lecture de la **Leçon 8.**
- **Fiche Activité de tri.**
- **Fiche Exercices Fractions (1)**

Activités ritualisées

- Demander aux élèves d'écrire dans le cahier un nombre en donnant un nombre précis :
CM1 de dizaines de mille ; CM2 de centaines de mille.
Exemple : « 235 dizaines de mille ».
Comparaison des solutions et explicitation.
Les élèves peuvent s'aider du tableau de numération ou des cartons nombres.
Pour chaque exemple, sur l'ardoise : les CM1 proposent un encadrement à la centaine près et les CM2 un arrondi au millier près. *Correction individuelle en temps réel ou en différé.*

Calcul mental

CM1

- S2 : multiplier de tête :
14 × 2 ; 32 × 3 ; 52 × 4
N'écrire que le résultat sur l'ardoise.
- S3 : chercher 34 × 5 et 63 × 3 de tête.
- S4 : ajouter 999 à un nombre entre 10 000 et 100 000 qu'on écrit au tableau. ((× 4)
Faire le point sur la technique utilisée.

CM2

- S2 : revoir la technique de la division en explicitant collectivement l'exemple 115 : 5.
Il s'agit de réactiver ici les connaissances.
- S3 : revoir la division sur l'exemple 365 : 5.
- S4 : ajouter 999 à un nombre entre 10 000 et 100 000 qu'on écrit au tableau. ((× 4)
Faire le point sur la technique utilisée.

Résolution de problèmes

● **Problèmes à l'oral.** Ils disposent de 3 minutes de recherche à l'ardoise.

CM1

● **S2 :** *« Papa a prévu 18 petits gâteaux pour la fête avec 6 enfants. Finalement, il y aura deux fois plus d'enfants. Combien de gâteaux doit-il préparer ? »*

● **S3 :** *« Léa compte qu'il faut 55 cahiers pour une classe. Combien en faut-il pour 8 classes ? »*

● **S4 :** *« J'achète un gâteau au chocolat à 2,5 €. Combien je vais payer pour 8 gâteaux ? »*

CM2

● **S2 :** *« Papa a prévu 45 petits gâteaux pour la fête avec 6 enfants. Finalement, il y aura deux fois plus d'enfants. Combien de gâteaux doit-il préparer ? »*

● **S3 :** *« Léa compte qu'il faut 75 cahiers pour deux classes. Combien en faut-il pour 10 classes ? »*

● **S4 :** *« J'achète un gâteau au chocolat à 2,5 €. Combien je vais payer pour 160 gâteaux ? »*

Apprentissage

CM1

S2-S3 : **les fractions**

● Par deux ou trois, les élèves complètent la **Fiche Consignes** à l'aide d'un cercle et d'un carré gris, découpés, manipulables. Recherche puis correction collective.
Les inciter à manipuler, plier, tester…
« Partager le cercle en 6 » signifie en fait de partager le demi-cercle en trois.

● Lecture de la **Leçon 8** sur les fractions.

● Lecture des **cartes flash** des fractions (collectivement ou par groupes).

● Demander de dessiner dans le cahier un carré de 6 carreaux de côté, puis de colorier : en bleu $\frac{1}{2}$ du carré ; en rouge $\frac{1}{4}$ du carré ; en vert $\frac{1}{6}$ du carré.

● **Mini-fichier Problèmes** en autonomie.

S4 : **la technique de la multiplication**

● **Problème donné à l'oral** *« Pour un concours, un pâtissier fabrique une tablette de chocolat de 29 carrés de chocolat de long sur 14 carrés de chocolat de large. Combien y a-t-il de carrés de chocolat ? »*

● **Fiche Images multiplication :** afficher l'image 1.
Les laisser chercher en binômes, 5 minutes maximum.
Confrontation des solutions. Explicitation de la technique : « calculer 29 × 14, c'est calculer 29 × 10 + 29 × 4 » (cf. image 2).
Verbalisation de la technique (rappel du CE2, Leçon 14).
Visionner la vidéo des fondamentaux.

Entrainement dans le cahier avec les tables de multiplication à disposition.

CM2

S2-S3 : **les fractions**

● Dans le cahier, poser deux divisions. Donner des opérations adaptées aux élèves *(proposer par exemple trois niveaux de difficulté et écrire les opérations au tableau).*

● **Jeu Domino des fractions.**

● **Fiche Exercices fractions (2)**

S4 : **la technique de la multiplication**

● Proposer différentes multiplications de difficultés variées (deux chiffres × deux chiffres, jusqu'à quatre chiffres × trois chiffres maximum).
Ils ont les tables de multiplication à disposition et vérifient leur résultat avec la calculatrice. Ils doivent calculer le plus de multiplications possible sur le temps imparti.
Vous pouvez donner la Leçon 14 des CE2 comme rappel de la technique.

Régulation

● Pour construire cette séance, vous pouvez par exemple :
- faire un retour sur les devoirs ;
- prévoir un temps de calcul mental de 10 minutes autour des tables de multiplication ;
- organiser différents ateliers. Par exemple :
  - revenir sur les fractions en utilisant d'autres matériels de manipulation ;
  - reprendre les techniques opératoires qui posent toujours problème.

Cela peut aussi être un moment d'évaluation formative, en prenant des petits groupes d'élèves sur de courtes tâches. On pourra aussi échanger avec les élèves sur leurs connaissances, faire un point sur ce qu'ils savent faire, les difficultés qu'ils rencontrent et expliciter comment faire pour surmonter ensemble ces problèmes. C'est le moment de compléter le tableau des apprentissages.

Activités ritualisées

● Dessiner à main levée un rectangle, un carré et un losange.

● Rappeler la définition de milieu d'un segment *(vue en CE2, Leçon 6).*

● Avec une horloge, leur demander de lire l'heure et d'écrire l'heure affichée sur leur ardoise. (× 8)
Donner des heures fixes, des demi-heures, des quarts d'heure.

Apprentissage

CM1

● Expliciter collectivement la technique de tracé d'un rectangle ou visionner et commenter la vidéo des fondamentaux de Canopé.

Faire étape par étape le tracé d'un rectangle de 8 (× 4 cm : les élèves le tracent en parallèle sur une feuille blanche.
Faire la comparaison avec la **Leçon 4** sur le tracé de carré.

● **Fiche Programme de construction**
Ils travaillent sur une feuille blanche d'abord à main levée puis avec les instruments. Correction individuelle.

● **Mini-fichier Constructor** en autonomie

CM2

● **Fiche Programme de construction**
Ils tracent la figure à main levée sur leur ardoise ou au brouillon pour bien comprendre les étapes. Validation individuelle avant tracé aux instruments sur une feuille blanche. Correction individuelle.
Écrire le programme de construction correspondant au tracé à main levée.

● **Mini-fichier Constructor** en autonomie

MODULE 7

7 SÉANCES

Objectifs majeurs du module

CM1

- Les fractions
- Les problèmes ouverts

CM2

- Les fractions
- Les problèmes ouverts

Matériel

CM1

- **Rallye maths** manche 1

- **Chronomath 3**
- **Fiches** *Rituel* Fractions
- **Fiche** Droite graduée et bandes
- **Fiche** DEVOIRS Ajouter et enlever 99
- **Mini-fichier** Calculus
- **Mini-fichier** Circulo
- **Mini-fichier** Constructor
- **Mini-fichier** Problèmes
- **Leçons** 6, 8 et 9
- **Jeu** L'omelette
- @ Cartes flash fractions et horloges

CM2

- **Rallye maths** manche 1

- **Chronomath 3**
- **Fiches** *Rituel* Fractions
- **Fiche** Exercices fractions
- **Fiche** DEVOIRS Ajouter et enlever 99
- **Mini-fichier** Calculus
- **Mini-fichier** Circulo
- **Mini-fichier** Constructor
- **Mini-fichier** Problèmes
- **Leçons** 8 et 9
- **Jeu** L'omelette
- @ Cartes flash fractions et horloges

Devoirs

CM1

- **Pour la séance 2 :** lire la Leçon 9 et revoir les tables de multiplication.
- **Pour la séance 3 :** relire la Leçon 6 et, dans le cahier, tracer un cercle de rayon 5 cm et un cercle de rayon 3 cm qui se coupent.
- **Pour la séance 4 :** tracer quatre segments au choix et placer le milieu.
- **Pour la séance 5 :** relire la Leçon 8.
- **Pour la séance 6 :** Fiche DEVOIRS 1.
- **Pour la séance 7 :** Fiche DEVOIRS 2.

CM2

- **Pour la séance 2 :** lire la Leçon 9 et revoir les tables de multiplication.
- **Pour la séance 3 :** relire la Leçon 6 et, dans le cahier, tracer un cercle de rayon 7,5 cm et un cercle de rayon 3,8 cm à l'intérieur du premier cercle.
- **Pour la séance 4 :** tracer quatre segments au choix et placer le milieu.
- **Pour la séance 5 :** relire la Leçon 8.
- **Pour la séance 6 :** Fiche DEVOIRS 1.
- **Pour la séance 7 :** Fiche DEVOIRS 2.

MODULE 7

CE QU'IL FAUT SAVOIR

Rituel : les fractions

Le rituel des fractions est important. Il s'agit de considérer la fraction d'une collection, ce qui oblige à revenir à la définition de ce qu'est une fraction. Le choix des nombres dans les activités de ce type a un enjeu didactique. En effet, si je demande d'entourer les $\frac{2}{3}$ des jetons dans une collection de 3, l'élève risque de croire qu'il suffit de dire 2, en construisant sa réflexion sur les nombres écrits au numérateur et au dénominateur. Il faut donc utiliser des nombres qui obligent à revenir au concept. Dans la Fiche d'activités, prendre $\frac{1}{2}$ de la fiche C va obliger à partager la collection en deux parties (dénominateur).

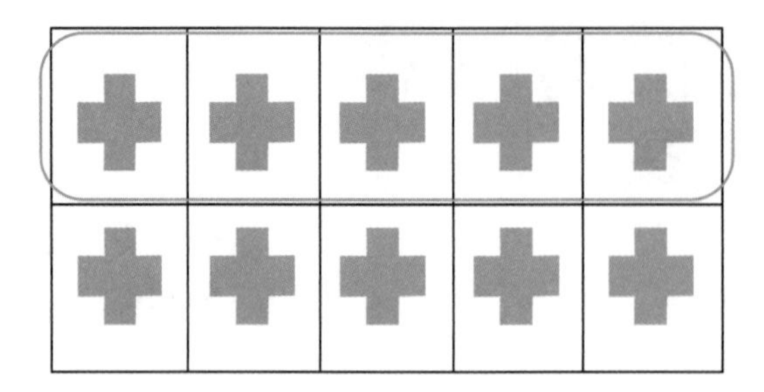

Ce sera la même chose pour que les CM2 prennent $\frac{3}{5}$: il faut séparer la collection de 10 croix en 5 sous-groupes égaux puis prendre 3 sous-groupes. On travaillera sur les fractions avec des Legos au module 13 pour renforcer la compréhension de la notion.

Le rallye maths

Lisez attentivement le document descriptif sur le site et surtout faites confiance aux élèves. Ces problèmes ouverts sont importants dans la construction du rapport aux mathématiques des élèves. Ils vont leur permettre de prendre conscience de plusieurs choses : qu'il faut réfléchir, qu'il faut persévérer, que cela demande des efforts, mais aussi qu'à plusieurs on est « plus intelligent ». La règle et la mise en œuvre sont strictement identiques du CP au CM2 au sein de la méthode. Les exercices proposés sont les mêmes pour les CM1 et CM2, car ce sont des problèmes ouverts. Deux rallyes différents seront proposés pour changer d'une année sur l'autre. La difficulté est importante et ils progresseront à chaque nouvelle manche.

L'explicitation

Vous êtes normalement bien entrés dans la méthode à ce stade de l'année. Les élèves ont pris leurs habitudes Cela peut être le bon moment de réfléchir aux gestes professionnels auxquels la méthode fait appel, en particulier l'explicitation. Relisez le guide de la méthode et prenez le temps au cours de ce module de bien penser aux consignes et aux aides :

- vérifiez que les élèves savent ce qui est attendu d'eux dans tel ou tel exercice ;
- demandez-leur à quoi il faut prêter attention dans telle ou telle activité ;
- faites-les verbaliser : « qu'est-ce qui permet de dire si l'exercice est réussi ou non ? », etc.

Expliciter, c'est mettre le haut-parleur sur sa pensée. Il faut montrer la procédure, la verbaliser, aider l'élève à se construire une image mentale (▶ Guide de la méthode, chapitre 7).

MODULE 7

SÉANCES 1 À 4

Activités ritualisées

- Lecture des cartes flash des fractions. (× 3)

CM1

- **Fiches *Rituel* Fractions**

S1 : donner la Fiche A. Demander le nombre d'objets présents et d'entourer une fraction : $\frac{1}{6}$ et $\frac{1}{3}$.

S2 : fiche B : $\frac{1}{8}$.

S3 : fiche C : $\frac{1}{10}$ et $\frac{1}{2}$.

S4 : fiche D : $\frac{1}{12}$ et $\frac{1}{4}$.

CM2

- **Fiches *Rituel* Fractions**

S1 : donner la fiche A. Demander le nombre d'objets présents et d'entourer une fraction : $\frac{5}{6}$ et $\frac{2}{3}$.

S2 : fiche B : $\frac{1}{4}$ et $\frac{3}{4}$.

S3 : fiche C : $\frac{1}{5}$ et $\frac{3}{5}$.

S4 : fiche D : $\frac{1}{6}$ et $\frac{1}{3}$.

Calcul mental

- S1 : présentation de la leçon sur les tables de multiplication. Explicitation du fonctionnement de la table de Pythagore. *Pour les* CM2*, laisser une page blanche pour coller la suite de la leçon 8, avant de coller la leçon 9.*
- S2 : **Mini-fichier Calculus :** compléter la fiche 2
- S3 : CM1 Interroger les tables de multiplication. (× 6)

  CM2 Calculer à l'ardoise 45 × 23 en moins de 2 minutes (avec tables si besoin).
- S4 : **Chronomath 3**

Résolution de problèmes

- Résoudre collectivement un problème autour des mesures.

Exemple : *« Je mesure 12 cm de plus que ma sœur qui fait 1 m 25. Quelle est ma taille ? »*

Temps de lecture orale de l'énoncé, recherche individuelle courte et construction de la schématisation (par barres par exemple), puis résolution collective.

Il s'agit d'expliciter et de modéliser des modes de résolution.

Apprentissage

4 ateliers à mettre en place, à faire tourner sur les 4 séances.

Atelier 1

- Relire la **leçon 4** puis avancer dans le **Mini-fichier Constructor** en autonomie.

Atelier 2

- Tracer dans le cahier un segment de 10 carreaux. Placer 0 au début du segment puis 1 au bout des 10 graduations. Placer les fractions décimales suivantes :

$$\frac{1}{10} - \frac{4}{10} - \frac{5}{10} - \frac{9}{10}$$

- **Mini-fichier Problèmes** en autonomie

- Tracer dans le cahier un segment de 10 carreaux. Placer 0 au début du segment puis 1 au bout des 10 graduations. Placer les fractions décimales suivantes :

$$\frac{1}{10} - \frac{4}{10} - \frac{5}{10} - \frac{13}{10}$$

- **Mini-fichier Problèmes** en autonomie

Atelier 3

- Découverte du **Jeu L'omelette** à partir de la vidéo ou de façon guidée.

Atelier 4

- Demander d'écrire une définition de *milieu* dans le cahier. Corriger.
Tracer deux segments de longueur donnée et placer leur milieu.

- **Mini-fichier Circulo** en autonomie

MODULE 7 SÉANCE 5

Activités ritualisées

- **Cartes flash fractions** (× 5)
CM1 Les élèves écrivent sur l'ardoise la fraction correspondante à la carte que vous leur montrez.
CM2 Les élèves écrivent sur l'ardoise la fraction qui fait le complément à l'unité.

Résolution de problèmes

- **Rallye Maths :** manche 1.

Régulation

● Pour construire cette séance, **deux temps à prévoir**.

1. La **correction du rallye :** c'est un temps d'explicitation, montrez-vous en train de raisonner ! Clarifiez, imagez, visualisez ! La correction ne doit pas s'étendre au-delà d'une demi-heure, ce serait contre-productif.

2. Un temps de travail que vous définirez :

– finir des tâches non achevées les jours précédents ;

– avoir un entretien avec les élèves pour faire le point sur les mini-fichiers : où ils en sont, les difficultés rencontrées, puis les faire refaire ou s'entrainer sur la compétence ciblée ;

– reprendre le travail sur les problèmes : faire expliquer par l'élève la résolution d'un problème, reprendre la méthodologie, expliquer comment chercher. Prenez la progression pour cibler la typologie qui semble poser problème à l'élève et expliciter cette typologie et son mode de résolution.

Notes personnelles

SÉANCE 7

Activités ritualisées

● ***Rituel* sur les durées :** utiliser les cartes flash horloges
Présentez les cartes flash en demandant d'écrire la fraction correspondante en douzièmes. (× 6)

Résolution de problèmes

● **Problème à l'oral**
CM1 *« Mamie a préparé des bonbons pour Halloween. Dans le grand saladier, il y en a **40**. Elle a promis à ses deux neveux qu'ils se partageront $\frac{1}{4}$ des bonbons. Combien de bonbons vont-ils avoir chacun ? »*
CM2 128 bonbons
Recherche en binômes. Correction collective.

Apprentissage

CM1

● **Placer des fractions sur une droite graduée**
Distribuer la **Fiche Droite graduée et bandes**. Représentez-la également au tableau.
Demander la longueur d'une bande. Demander ensuite de placer sur la droite graduée : 1 bande, puis 3 bandes, puis une demi-bande et 1 bande et demie.
À chaque étape, on fait une correction collective et on demande à quelle graduation cela correspond. Si besoin, on note $\frac{1}{2}$ sur la droite graduée.
Faire émerger : $\frac{3}{2} = 1 + \frac{1}{2}$ (voire $= \frac{6}{4}$)
Puis leur demander de placer $\frac{9}{4}$ sur la droite graduée et de l'écrire sous la forme d'un entier + une fraction
Recommencer avec $\frac{11}{4}$.

CM2

● **Fractions**
Travail en binômes.
Distribuer la **Fiche Exercices fractions** : demander de séparer dans le nombre de parts demandé, puis de colorier selon la fraction indiquée.
Demander de les classer de la plus petite à la plus grande.
Faire une mise en commun sur la façon de comparer des fractions (en signalant qu'elles ont le même dénominateur !).
Faire une lecture collective de la suite de la **Leçon 8** sur les fractions qui porte sur la comparaison.
Refaire quelques exemples sur des fractions décimales.

MODULE

8

7 SÉANCES

Objectifs majeurs du module

CM1

- Le sens et la technique de la division
- Les techniques opératoires
- La perpendicularité

CM2

- Le sens et la technique de la division
- Les nombres décimaux
- La perpendicularité

Matériel

CM1

- **Fiche** *Rituel* La fraction du jour (1)
- **Fiche** *Rituel* Droites graduées
- **Fiche** Problèmes division
- **Fiche** Exercices multiples
- **Fiche** Exercices heures
- **Fiches** DEVOIRS Tables de multiplication / Enlever 200 et 500

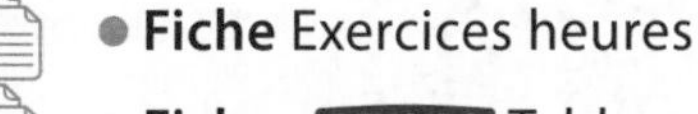

- **Mini-fichier** Calculus
- **Mini-fichier** Architecte
- **Mini-fichier** Problèmes
- **Leçons** 10 et 11
- **Jeu** L'omelette
- @ Cartes flash fractions

CM2

- **Fiche** *Rituel* La fraction du jour (1)
- **Fiche** *Rituel* Droites graduées
- **Fiches** Modèle d'affiche fractions
- **Fiche** Exercices multiples
- **Fiche** Exercices fractions décimales
- **Fiche** Exercices heures
- **Fiches** DEVOIRS Tables de multiplication / Enlever 200 et 500
- **Mini-fichier** Calculus
- **Mini-fichier** Problèmes
- **Leçons** 10 et 11
- **Jeu** L'omelette
- @ Livret « Histoire du tailleur », cartes flash fractions

Devoirs

CM1

- **Pour la séance 2 :** apprendre les tables de multiplication (enveloppes 1, 2 et 3).
- **Pour la séance 3 :** Fiche DEVOIRS (1).
- **Pour la séance 4 :** Fiche DEVOIRS (2).
- **Pour la séance 5 :** Fiche DEVOIRS (3).
- **Pour la séance 6 :** apprendre la Leçon 10.

CM2

- **Pour la séance 2 :** apprendre les tables de multiplication (enveloppes 1, 2 et 3).
- **Pour la séance 3 :** Fiche DEVOIRS (1).
- **Pour la séance 4 :** Fiche DEVOIRS (2).
- **Pour la séance 5 :** Fiche DEVOIRS (3).
- **Pour la séance 6 :** apprendre la Leçon 10.

CE QU'IL FAUT SAVOIR

La réactivation des nombres décimaux CM2

Les CM2 ont déjà des connaissances sur les nombres décimaux. Plutôt que de reconstruire de façon classique, comme en CM1, les nombres décimaux, il est proposé une entrée différente. Il s'agit de travailler sur « L'histoire d'un tailleur ». Cette histoire offre un habillage concret à la notion. Le texte peut être difficile pour certains élèves et le lexique va nécessiter des explications. Lisez-leur à haute voix et explicitez autant que nécessaire.

L'histoire du tailleur
https://mhm.nathan.fr/9782091243535

Le travail sur le livret doit être accompagné des manipulations proposées avec un vrai tasseau de bois. Pour certains, ce temps de travail de réactivation ne sera pas suffisant, mais les élèves auront l'occasion de travailler à nouveau cette notion par la suite.

Attention, un nombre décimal n'est pas un nombre à virgule ! Il faut être au clair sur le concept. Regardez la vidéo explicative.

Les ensembles de nombres
https://www.youtube.com/watch?v=DYRXYcsv-FY

Rituel : la fraction du jour (1)

Comme pour le rituel du nombre du jour, un rituel de la fraction du jour évolutif va permettre de refaire le point sur la fraction. Sur cette première version, on prend le temps de faire le lien entre les trois représentations : sur une figure géométrique, sous forme d'une fraction et écrite en lettres. On verbalise en utilisant le vocabulaire *numérateur* et *dénominateur*. Vous pouvez utiliser le premier rituel pour réaliser une affiche mémoire collective sur les fractions.

L'Atelier des potions
https://methodeheuristique.com/les/jeux-commerciaux

Pour les élèves qui présentent des difficultés dans la compréhension des fractions, il existe un jeu efficace : l'atelier des potions. Vous pourrez l'utiliser au besoin lors des séances de régulation ou pour certains élèves à la place du **Mini-fichier Fractions**.

Rituel complémentaire : le relevé des présences

Vous pouvez mettre en place un rituel de relevé des présences. Ce relevé est un prétexte à travailler sur la gestion de données en complétant un histogramme.

Le rituel de relevé des présences
http://www.tablettesetpirouettes.com/rituel-mathematique-les-graphiques-des-presences/

Le module « arts et géométrie »

La méthode est associée à un module « arts et géométrie » qui se fait en complément des 24 modules. C'est le moment pour le programmer si ce n'est déjà fait.

Proposition CM1 : travail autour de Kerby Rosanes.
Proposition CM2 : travail autour de Victor Vasarely.
Autre proposition : travailler sur la triskèle bretonne.

La triskèle bretonne
http://peinturemamanlotus.fr/?p=40866

La connaissance des tables de multiplication

La connaissance des tables de multiplication reste difficile. Vous avez la possibilité, à l'issue de ce module, de proposer plusieurs choix aux élèves pour apprendre bien les connaitre :
- soit avec les enveloppes. Celles-ci reprennent les résultats essentiels. Elles nécessitent que l'élève ait compris la commutativité ;
- soit avec la table de Pythagore. Il existe sur le site une version qui représente les résultats sous forme de produits de mesures :

×	2	3	4	5	6	7	8	9
2	4	6	8	10	12	14	16	18
3	6	9	12	15	18	21	24	27
4	8	12	16	20	24	28	32	36
5	10	15	20	25	30	35	40	45
6	12	18	24	30	36	42	48	54
7	14	21	28	35	42	49	56	63
8	16	24	32	40	48	56	64	72
9	18	27	36	45	54	63	72	81

- soit avec des outils numériques : https://methodeheuristique.com/tice/calcul/

La division

La division peut avoir deux sens.
- La **division partition** (partage) : recherche de la valeur d'une part. On partage une quantité en un nombre de groupes connu. Exemple : partager 24 œufs dans 4 boites.
- La **division quotitio**n (groupement) : recherche du nombre de parts. On cherche le nombre de groupes identiques que l'on peut faire en connaissant la taille d'un groupe.
Exemple : partager 24 œufs en boites qui contiennent chacune 6 œufs. Ce sens est plus complexe pour les élèves.
Dans l'apprentissage de la technique, il est important :
- d'insister sur le sens : en revenant au matériel de numération ;
- d'insister sur la nécessité d'avoir un ordre de grandeur du quotient ;
- d'alléger si besoin l'aspect calculatoire dans un premier temps ; la calculatrice peut être autorisée pour les soustractions le temps que l'algorithme soit compris.

Activités ritualisées

Lecture de l'heure

Avec une horloge, leur demander de lire l'heure et d'écrire l'heure affichée sur leur ardoise. (× 6).

Fiche *Rituel* Droites graduées

Demander de placer sur la droite :

CM1 $\frac{1}{2}$, $\frac{3}{4}$ et $\frac{3}{2}$ – CM2 $\frac{1}{2}$, $\frac{7}{10}$ et $\frac{22}{10}$

Correction collective.

Calcul mental

CM1

- Revoir : + 7, + 8, + 17, + 18... (× 10)

CM2

- Demander de dessiner une droite graduée de 0 à 2, séparée en quatre (utiliser les carreaux du cahier).

Leur faire placer $\frac{7}{4}$. Demander si c'est plus petit ou plus grand que 1.
Demander de représenter cette fraction sous une forme graphique.
Montrer qu'on peut écrire la fraction sous la forme $1 + \frac{3}{4}$.
Construire une affiche synthèse *(cf. modèle)*.
Puis écrire sous la même forme $\frac{3}{2}$ et $\frac{5}{3}$.

Apprentissage

La division : le sens

Problèmes à afficher ou faire copier dans le cahier.

- Problème 1 : *« Lucie prépare des sachets de bonbons pour sa fête d'anniversaire. Elle dispose de 136 bonbons. Combien de sachets de 8 bonbons peut-elle remplir ? »*
Recherche en binômes. Correction collective. Explicitation (introduire le mot « division »).

- Problème 2 : *« À la cantine, il y a 96 élèves qui sont assis autour de 16 tables. Combien y a-t-il d'élèves par table ? »*
Recherche en binômes. Correction collective. Explicitation. Synthèse.

Les multiples et diviseurs

- Lire la **Leçon 10** sur les multiples et les diviseurs.
- **Fiche Exercices multiples/diviseurs**

MODULE

8 SÉANCES 2 À 5

Activités ritualisées

CM1

- ***Rituel* La fraction du jour**
- S2 : $\frac{3}{4}$; S3 : $\frac{5}{6}$; S4 : $\frac{5}{10}$ (leur demander à quelle autre fraction c'est équivalent…) ; S5 : $\frac{6}{10}$.

CM2

- ***Rituel* La fraction du jour**
- S2 : $\frac{2}{8}$; S3 : $\frac{1}{4}$ (montrer que c'est équivalent à $\frac{2}{8}$) ; S4 : $\frac{5}{10}$ (leur demander à quelle autre fraction cela équivaut…) ; S5 : $\frac{7}{10}$.

Lors de la correction collective des rituels, penser à utiliser les différents outils : fraction sur disque ou rectangle, sur la droite graduée, à partir de Legos…

Calcul mental

- S2-S3 : **tables de multiplications**

Interroger dix résultats de tables de multiplication sous la forme « en 24 combien de fois 8 ? ».
Différencier CM1 et CM2.

- S4-S5 : compléter une fiche par séance du **Mini-fichier Calculus** (dont fiches 3 et 4).

Résolution de problèmes

- **Problème de division à l'oral**

Distribuer l'énoncé qu'ils collent dans le cahier. Correction collective

- **Mini-fichier Problèmes :** un problème par séance.

Apprentissage

4 ateliers à mettre en place, à faire tourner sur les 4 séances.

Atelier 1

- **Jeu L'omelette** en autonomie.

Atelier 2

- Donner le matériel suivant pour le groupe : un Lego de 10 de longueur, et des legos des tailles inférieures. Ils doivent répondre par groupes de deux ou trois aux questions suivantes :

« Combien faut-il de dixièmes pour compléter la barre de 10 ? »
« Combien faut-il de demis pour compléter la barre de 10 ? »
« Si j'ai déjà une barre de 3 dixièmes, quelle autre barre me faut-il pour compléter la barre de 10 ? »

- **Mini-fichier Architecte** en autonomie

- Tracer dans le cahier un carré de 10 carreaux de côté. En binôme ou trinôme, ils répondent aux consignes suivantes :
  - Colorie un centième du carré.
  - Colorie un dixième du carré.
  - Colorie 10 centièmes du carré.
  - Combien faut-il de dixièmes pour remplir le carré ?

- **Fiche Exercices fractions décimales**

Atelier 3

Les multiples et diviseurs

● **Problème**

« La fermière sort 36 œufs du poulailler. Elle souhaite les ranger dans des boites. Elle a des boites de 4, 6, 9, 10 et 12. Quelle taille de boite doit-elle utiliser pour être sûre que les boites soient pleines à chaque fois ? »

Faire l'exemple avec 12 qui fonctionne.

Ils cherchent ensuite en binôme/trinôme (proposer au besoin des boites ou images de boites). Correction collective/mise en commun des procédures. Faire émerger le lien avec la multiplication.

● Lire la **Leçon 10** sur les multiples.

● **Fiche Exercices multiples** dans le cahier.

La technique de la division

● Leur demander de chercher en binôme la division de 528 par 4. Cinq minutes de recherche puis mise en commun.

Diffusion de la vidéo de la leçon pour reprendre la technique.

● Lecture individuelle de la **Leçon 11** puis entrainement sur des divisions dans le cahier.

Atelier 4

Les techniques opératoires

● Donner des opérations aux élèves selon leurs difficultés : addition, soustraction, multiplication, en s'appuyant sur les variables : difficulté à poser, aligner les chiffres, difficulté à calculer…

Ils se corrigent en utilisant la calculatrice.

Livret « Histoire du tailleur »

● Lecture individuelle ou collective des pages 1 à 3.

MODULE 8 SÉANCE 6

Régulation

Pour construire cette séance, vous pouvez par exemple :
- faire un retour sur les devoirs ;
- prévoir un temps de calcul mental de 10 minutes ;
- organiser différents ateliers. Par exemple :
  - évaluer une compétence spécifique (cela peut être par la simple observation d'un exercice fait sur mesure) ;
  - revenir sur le sens de la division avec le jeu de l'omelette ou du matériel de manipulation (refaire la technique avec le matériel en parallèle de la technique posée sur le cahier) ;
  - reprendre le travail sur les problèmes en faisant expliquer par l'élève la résolution d'un problème, reprendre la méthodologie, expliquer comment chercher. Utiliser la fiche d'aide proposée. Travailler au besoin sur la catégorisation.

Activités ritualisées

CM1

- Présenter les cartes flash des fractions.
Ils donnent le nom et on encadre avec deux entiers *(ce sera toujours 0 et 1)*. (× 5)

CM2

- **Dictée de fractions décimales** (en dixièmes, centièmes ou millièmes). (× 5)

- Avec leur tableau de conversion, faire des conversions de longueur. (× 4)
Différencier selon CM1 et CM2.

- **Fiche Exercices heure :** ils font l'exercice 1, on corrige, puis ils font l'exercice 2, on corrige, etc.

Calcul mental

CM1

- Interroger les tables de multiplication. (× 6)

CM2

- Calculer à l'ardoise 56 × 19 en moins de 2 minutes (avec tables de multiplication si besoin).

Résolution de problèmes

- **Mini-fichier Problèmes :** résoudre le problème suivant en autonomie. Ils lisent l'énoncé seuls et cherchent la réponse. Le temps donné doit être limité et contraint (10 minutes maximum).
Il s'agit d'étayer individuellement. La correction est individuelle et sera reprise au besoin en régulation.

Apprentissage

Découverte de la technique de la division

- Expliciter une situation à partir du **Jeu L'omelette**. Par exemple, je tire la carte « 78 pièces » que je dois partager en cinq joueurs. Comment faire ? Les laisser chercher. Confronter les procédures. Faire le lien avec les tables de multiplication.
Expliciter la technique de la division d'un nombre à deux chiffres par un diviseur à un chiffre avec 78 : 5.
Refaire collectivement avec 65 : 7 avec le matériel de numération.

- Lecture collective de la **Leçon 11**. Puis entrainement dans leur cahier.

La division

- Relecture de la **leçon 11** sur la division.

- Entrainement sur différentes divisions : jouer sur différentes variables : taille du diviseur/dividende, etc. Ils se corrigent en utilisant la calculatrice.
Pour les élèves en difficulté, il est nécessaire de repasser par le matériel pour bien décomposer les différentes étapes. La vidéo de la leçon est un appui pour installer la procédure en mémoire.

Notes personnelles

MODULE 9

6 SÉANCES

Objectifs majeurs du module

CM1

- Évaluation
- La technique de la division
- Les tracés géométriques

CM2

- Évaluation
- La technique de la division
- Les tracés géométriques

Matériel

CM1

- **Chronomath 4**
- **Fiche** Diagramme

- **Fiche** Suivi des tables de multiplication

- **Fiche** Guides-âne
- **Fiche** Hexagone

- **Mini-fichier** Ville au trésor

- **Mini-fichier** Calculus

- **Mini-fichier** Problèmes

- Boite à énigmes

CM2

- **Chronomath 4**
- **Fiche** Diagramme

- **Fiche** Suivi des tables de multiplication
- **Fiche** Fractales
- **Mini-fichier** Pays au trésor

- **Mini-fichier** Calculus

- **Mini-fichier** Problèmes

- Boite à énigmes

Devoirs

CM1

- **Pour la séance 2 :** apprendre la Leçon 11.
- **Pour la séance 3 :** recalculer dans le cahier la table de 11 sans modèle.
- **Pour la séance 4 :** relire la Leçon 7.
- **Pour la séance 5 :** tracer trois segments de longueur donnée et placer le milieu.

CM2

- **Pour la séance 2 :** apprendre la Leçon 11.
- **Pour la séance 3 :** recalculer dans le cahier la table de 12 sans modèle.
- **Pour la séance 4 :** relire la Leçon 7.
- **Pour la séance 5 :** tracer trois segments de longueur donnée et placer le milieu.

CE QU'IL FAUT SAVOIR

L'évaluation

Des temps spécifiques sont consacrés à l'évaluation sur ce module. Vous pouvez prendre le protocole proposé sur le site, ou mettre en place l'évaluation que vous souhaitez.

N'oubliez pas de **faire le point sur deux éléments fondamentaux avec les élèves** à quasiment chaque séance :

– *« Qu'avons-nous appris aujourd'hui en mathématiques ? »* Par exemple : *« nous avons appris à ajouter 9 à un nombre rapidement, à tracer des traits droits, à se repérer sur un quadrillage… »*

– *« À quoi ça sert ? »* Il faut les aider à mettre du sens : *« ça sert à calculer plus vite, à résoudre des problèmes, à réfléchir, à faire une opération sans la poser, à lire une carte (routière, plan…) »*, etc.

L'évaluation va permettre d'abord d'identifier des difficultés chez les élèves pour y remédier au plus vite (sur le moment ou dans la séance de régulation) et ensuite d'ajuster la mise en œuvre de son enseignement. On peut ainsi se rendre compte d'une formulation maladroite qui aurait induit une mauvaise compréhension chez les élèves, formulation que l'on corrigerait dès la séance suivante. Les critères d'évaluation seront systématiquement précisés : le produit (une réalisation de l'élève) et/ou le processus (la démarche utilisée). En impliquant l'élève dans le processus d'évaluation, on va lui permettre de visualiser les apprentissages qui l'attendent et de les prendre en main. Il va pouvoir identifier ses progrès, se motiver au regard de ses réussites. On explicitera les critères de réussite, c'est-à-dire le *« comment on sait que l'on sait »*. En ayant accès à ces informations, l'élève va prendre conscience du rôle de ses erreurs et développer des stratégies pour améliorer les points voulus.

Propositions d'évaluations
https://methodeheuristique.com/3-fonctionnement/propositions-devaluations/

Pour évaluer, vous allez utiliser des **tableaux d'évaluation des apprentissages.**

Les mini-fichiers La ville au trésor CM1 ou Le pays au trésor CM2

Ces mini-fichiers sont des prétextes à travailler les programmes de construction et l'utilisation des compétences et notions acquises (*segment, droite, parallèles, perpendiculaires…*). Ils ne sont pas faciles et très exigeants ! Ils font suite au **mini-fichier Carte au trésor** utilisé en CE2 qui s'appuie sur le même principe, mini-fichier qui pourrait servir d'aide en remédiation pour vos élèves les plus en difficulté.

Les fiches de suivi des tables de multiplication

Ce document va permettre aux élèves de s'interroger en binômes. Chacun a sa fiche personnelle. L'élève A prend la fiche de son camarade, l'élève B, et l'interroge sur différents résultats, à raison d'un par table. Il ne l'interroge pas forcément dans l'ordre de la fiche. Si le résultat est immédiat et juste, il colorie la case en vert. Si le résultat est faux ou arrive après plus de 5 secondes, il colorie la case en rouge. La table de 1 n'est pas présente, car elle relève du bon sens.
Les tables de 11 et de 12 sont ajoutées, ainsi que la table de 15 pour les CM2, car ce sont des résultats utiles. Ce document permet de suivre les résultats connus ou non et aux élèves de s'interroger de façon ludique. Il faut inciter les élèves à s'en servir régulièrement.

La boite à énigmes

La boite à énigme est bien sûr connue des élèves qui ont déjà suivi la méthode. Sa mise en route en sera facilitée. Elle offre une nouvelle modalité de travail sur la **résolution de problèmes**. La formulation différente, l'utilisation d'une image et la possibilité d'avoir plusieurs essais sont pensées pour motiver les élèves. Ces problèmes sont de difficulté très variable, afin de répondre à la variété des profils d'élèves. Il est déconseillé de laisser à disposition les corrections et souhaitable qu'ils essaient plusieurs fois !

La boite à énigmes
https://methodeheuristique.com/fichiers/la-boite-a-enigmes

Elle ne sera pas citée très souvent dans les modules, car elle est destinée à différencier ou aux séances de régulation.

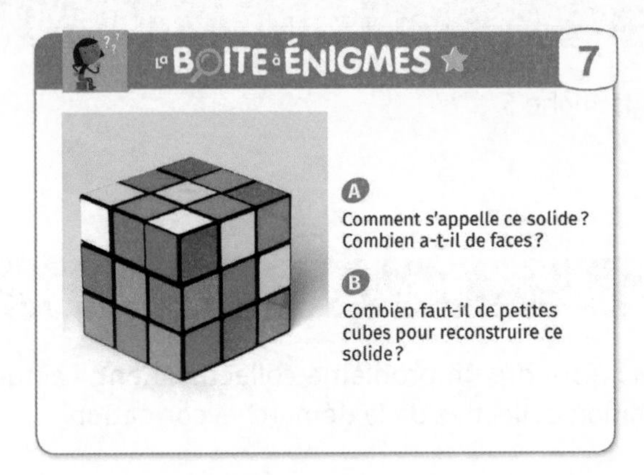

Le guide-âne

La machine à partager (cf. ouvrage éponyme de Catherine Houdement), aussi appelée « guide-âne », est un outil pour partager en parts égales un segment de droite.

C'est un réseau de droites parallèles équidistantes. Le principe de cet outil découle de la propriété de Thalès. Si ces droites sont espacées de 1 cm par exemple on ne pourra pas partager un segment en segments de moins d'un centimètre. Il est donc utile d'avoir plusieurs modèles.

Une vidéo sur la chaine Youtube de la méthode MHM permet de montrer son utilisation.

Le guide-âne
https://huit.re/guide-ane

Activités ritualisées

- ***Rituel* Le nombre du jour (2) :** faire une fiche par séance (▶ voir module 5).
Choisir un nombre qui correspond à la droite graduée proposée sur la fiche.
- Demander d'écrire à l'ardoise deux multiples des nombres demandés.

CM1 **S1 :** 9 et 13
S2 : 12 et 15

CM2 **S1 :** 12 et 15
S2 : 25 et 150

Calcul mental

- S1 : **Mini-fichier Calculus :** fiche 5.
- S2 : **Chronomath 4**

Résolution de problèmes

- **Mini-fichier Problèmes :** résoudre un problème collectivement. Lecture individuelle, recherche courte à l'ardoise (5 minutes), explicitation collective de la démarche, correction.

Apprentissage

CM1

- S1 : **la technique de la division**

Problème : *« La maîtresse a 137 classeurs qu'elle doit partager entre les 6 classes de l'école. Combien chaque classe va recevoir de classeurs ? »*
Les élèves se mettent en binômes pour résoudre le problème. Explicitation. Relecture de la leçon. Entrainement à la division.

CM2

- S1 : **la division**

1. S'entraîner sur d'autres exemples, comme à la fin de la page 3 du livret « Histoire du tailleur ».

2. Entrainement à la technique de la division dans le cahier, en différenciant les divisions proposées selon les élèves.
Proposer par exemple au tableau trois niveaux de difficulté. Les élèves choisissent le niveau qu'ils pensent être capables de faire.

- S2

1. Fabriquer le graphique des résultats des Chronomaths. Compléter le diagramme en bâtons.

2. Présenter la Boite à énigmes. Ils choisissent une énigme et la résolvent.

MODULE 9

SÉANCES 3 ET 4

Activités ritualisées

- **Dictée de nombres :** prendre cinq grands nombres adaptés au niveau des élèves.

Calcul mental

- S3 : interroger les résultats des tables en binômes avec les fiches de suivi (5 minutes).
- S4 : revoir les tables de multiplication de 11 en CM1 et de 12 en CM2.

Résolution de problèmes

- **Mini-fichier Problèmes :** résoudre un problème.

Apprentissage

CM1

- **S3 : Évaluation**

(▶ voir p. 70)

- **S4 : Géométrie**

Donner une feuille A4. Demander de tracer un segment de la taille qu'ils veulent.

Présenter collectivement l'utilisation du guide-âne pour partager le segment en cinq morceaux. Ils recommencent sur leur segment. Puis ils partagent d'une autre couleur en sept morceaux.

Distribuer la **Fiche Hexagone.**

Ils doivent partager chaque côté de l'hexagone en cinq parties. Puis, il faut relier les points les uns en face des autres.

Ensuite ils doivent colorier d'une couleur donnée les figures que les croisements de segments ont créé : triangles, quadrilatères, pentagones, hexagones.

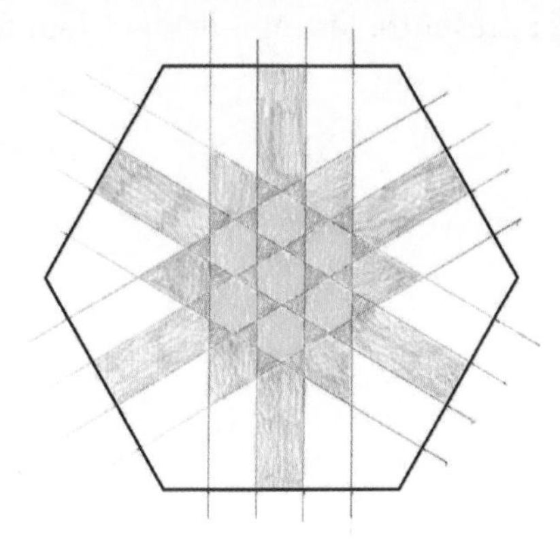

CM2

- **S3 : Géométrie**

Lecture collective de la présentation de la **Fiche Fractales.**

Puis, réalisation par équipes de trois élèves (travail coopératif) du flocon de Von Koch.

Cette activité de géométrie peut prendre du temps. Vous jugerez si elle doit être poursuivie et à quel stade vous souhaitez vous arrêter. L'important est que les élèves manipulent, tracent et comprennent le principe.

- **S4 : Évaluation**

(▶ voir p. 70)

MODULE 9 SÉANCE 5

Régulation

- Pour construire cette séance, vous pouvez par exemple :
- faire un retour sur les devoirs ;
- prévoir un temps de suivi des tables en échangeant les binômes (10 minutes) ;
- organiser différents ateliers. Par exemple :
  - évaluer ;
  - finir le travail de géométrie ;
  - reprendre le travail sur les problèmes en faisant expliquer par l'élève la résolution d'un problème, reprendre la méthodologie, expliquer comment chercher. Prenez la progression pour cibler la typologie qui semble poser problème à l'élève et expliciter cette typologie et son mode de résolution.

MODULE 9 SÉANCE 6

Activités ritualisées

- Faire un rappel collectif du vocabulaire de géométrie, en interrogeant à l'ardoise : *segment, point, milieu, droite.*

Apprentissage

- **Programme de construction à main levée** sur une feuille A4 blanche.

- Tracer un segment de 6 cm en CM1 ou 8,4 cm en CM2. Placer le milieu du segment.
- Tracer une droite qui coupe ce segment verticalement en passant par le milieu.
- Placer un point sur la droite n'importe où en CM1 et à 7,3 cm du segment en CM2. Relier ce point aux extrémités du segment.

Correction après chaque étape collectivement.

Puis demander : « Quelle est la particularité de ce triangle ? »

Pour les CM1, c'est un triangle isocèle.

Pour les CM2, c'est un triangle équilatéral (quasiment au dixième de mm près !).

- **Mini-fichiers Ville au trésor** en CM1 ou **Pays au trésor** en CM2 **:** présenter les mini-fichiers, leur fonctionnement, comment on complète. Faire collectivement la fiche 1.

- **Évaluation**

MODULE 10

7 SÉANCES

Objectifs majeurs du module

CM1

- Les nombres décimaux
- Les parallèles
- Les multiples et les diviseurs

CM2

- Les nombres décimaux
- Les parallèles
- Les multiples et les diviseurs

Matériel

CM1

- **Chronomath 5**

- **Fiche** *Rituel* Le nombre du jour (3)
- **Fiche** Droites graduées
- **Fiche** Classement de droites
- **Fiche** Exercices droites parallèles
- **Mini-fichier** Problèmes
- **Mini-fichier** Architecte
- **Mini-fichier** Ville au trésor
- **Leçon** 12

- **Jeu** Les nombres en chaine
- Livret « Histoire d'un juge »

CM2

- **Chronomath 5**

- **Fiche** *Rituel* Le nombre du jour (3)
- **Fiche** Droites graduées
- **Fiche** Classement de droites
- **Fiches** Exercices droites parallèles et fractions décimales
- **Mini-fichier** Problèmes
- **Mini-fichier** Architecte
- **Mini-fichier** Pays au trésor
- **Leçon** 12
- **Jeu** Les nombres en chaine
- Livret « Histoire d'un tailleur »

Devoirs

CM1

- **Pour la séance 2 :** tracer une droite rouge dans le cahier et trois droites perpendiculaires à cette droite rouge.
- **Pour la séance 4 :** revoir les tables.
- **Pour la séance 6 :** interroger les tables avec la Fiche de suivi (avec un parent, frère, sœur…).
- **Pour la séance 7 :** apprendre la Leçon 12 et « Trouve cinq objets chez toi qui présentent des parallèles (écris le nom sur une feuille) ».

CM2

- **Pour la séance 2 :** tracer une droite rouge dans le cahier et trois droites perpendiculaires à cette droite rouge.
- **Pour la séance 4 :** revoir les tables.
- **Pour la séance 6 :** interroger les tables avec la Fiche de suivi (avec un parent, frère, sœur…).
- **Pour la séance 7 :** apprendre la Leçon 12 et « Trouve cinq objets chez toi qui présentent des parallèles (écris le nom sur une feuille) ».

CE QU'IL FAUT SAVOIR

Introduction des nombres décimaux CM1

Les fractions ont été découvertes au module 5 et continuent à faire l'objet d'un travail tout au long de l'année pour affiner leur compréhension. Les élèves sont en difficulté par exemple pour comparer 1,015 et 1,05, car ils considèrent souvent la partie décimale comme un « entier derrière la virgule ». Ils n'ont pas conceptualisé et raisonnent en appliquant les règles des entiers, ce qui ne fonctionne pas !

Les décimaux sont d'abord des fractions qui permettent d'approcher d'aussi près que l'on veut la mesure d'une grandeur continue quelconque. Pour définition, un nombre décimal est un nombre qui peut s'écrire sous la forme d'une fraction décimale, c'est-à-dire une fraction dont le dénominateur est une puissance de 10. Un nombre décimal a pour caractéristique une écriture décimale finie. Donc ne pas dire qu'un nombre décimal, c'est un nombre à virgule ! Refaites le point si besoin sur les différents ensembles de nombres (▶ voir p. 62).

Dans la méthode, le nombre décimal est introduit par une histoire. Les CM1 découvrent l'histoire du juge des Jeux olympiques. Les CM2 ont l'histoire du tailleur au module 8. L'histoire du juge pourra être mise en œuvre lors de véritables séances d'EPS. Je conseille de prendre un tasseau de 20 à 30 cm. Le livret doit être fini au cours de ce module, même s'il pourra être utilisé plus tard.

Le jeu des nombres en chaine

Ce jeu fait référence au crible d'Ératosthène. Le crible est un procédé pour trouver les nombres premiers en cherchant tous les multiples de chaque nombre pris dans l'ordre (les multiples de 2, puis de 3…). Un nombre premier est un entier naturel qui admet exactement deux diviseurs distincts entiers et positifs qui sont alors 1 et lui-même.

Dans ce jeu, en choisissant astucieusement 89, je peux être rapidement gagnant, car ses multiples sont trop grands ! Au bout de quelques parties, les élèves s'en rendront compte. La grille 3 enlève donc tous les nombres premiers supérieurs à 15. Pour la découverte du jeu en collectif, on reproduira un tableau à 20 ou 30 cases, suffisant pour comprendre la règle.

La résolution de problèmes (3)

À ce moment de l'année, il est probable qu'il y ait déjà un écart important entre les élèves, certains auront fait peu de problèmes du mini-fichier Problèmes (1) et d'autres auront déjà fini. Pour aider les élèves, il faut :
- apprendre à repérer leurs difficultés spécifiques ;
- comprendre d'autres procédures que les vôtres et savoir les interpréter.
- insister sur l'explicitation de la démarche et accompagner les élèves (cf. annexes du guide de la méthode pour les différentes démarches de schématisation) et leur laisser le temps de chercher ;
- adapter les problèmes, selon les difficultés que vous avez analysées ; jouer sur les variables didactiques en gardant la même typologie de problème qui pose difficulté : en lisant le texte, en changeant le contexte, en jouant sur la taille des nombres, en allégeant la question posée, etc.

Le vocabulaire : perpendiculaire et parallèle

Les élèves font souvent une confusion entre les deux notions. Pour les aider à associer chaque notion au bon mot, un affichage est proposé sur le site.
Un travail en vocabulaire sur l'origine des mots peut aider les élèves à mettre du sens et donc à mieux mémoriser les concepts sous-jacents.
Parallèle vient du grec *para* (« à côté ») et *allos* (« autre »).
Perpendiculaire vient du latin *perpendiculum* (« le fil à plomb »).

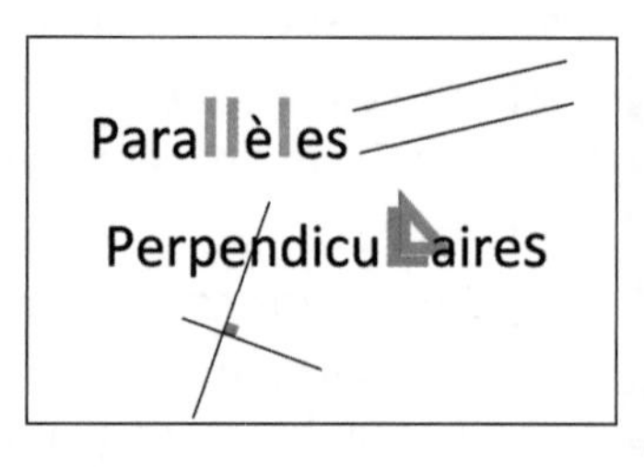

MODULE 10

SÉANCES 1 À 4

Activités ritualisées

- S1-S2 : distribuer la **Fiche Droites graduées**, la coller (on utilisera la même pour les deux séances). Placer des fractions sur ces droites.

S1 : $\frac{1}{2}$ – $\frac{1}{10}$ – $\frac{7}{10}$

S2 : $\frac{12}{10}$ – $\frac{20}{10}$ – $\frac{22}{10}$

Correction collective. Choisir une fraction placée > 1 puis demander son encadrement entre deux entiers.

- S3-S4 : **Fiche *Rituel* Le nombre du jour (3)** en autonomie, puis correction.

Calcul mental

- S1 : découverte collective du **Jeu Les nombres en chaine.**
- S2 : refaire une partie collective du **Jeu Les nombres en chaine.**
- S3 : expliciter $25 \times 11 = 25 \times 10 + 25 \times 1$ *(faire un schéma).*

Puis leur faire calculer rapidement : CM1 50×11
CM2 50×12

- S4 : CM1 60×11 et 72×11
CM2 60×12 et 72×12

Apprentissage

4 ateliers à mettre en place, à faire tourner sur les 4 séances.
Trois ateliers sont consacrés au travail sur les livrets « Histoire d'un juge » et « Histoire d'un tailleur ». Il faut donc organiser ces temps-là en conséquence, voire le faire en classe entière.

Atelier 1

- **Les nombres décimaux**
Lecture commentée du livret « Histoire d'un juge ».

- Relecture de l'encadré de la page 3 du livret « Histoire d'un tailleur »
- **Fiche Exercices Fractions décimales**

Atelier 2

- Suite du livret « Histoire d'un juge ». Donner des exemples, écrire des fractions décimales sous la forme de nombres décimaux et inversement...

- Lecture du livret « Histoire d'un tailleur » de la page 4 à la page 6.
- **Dictée de nombres décimaux**
Vous choisissez les nombres selon la compréhension des élèves à ce niveau de réactivation des connaissances.
- Finir la **Fiche Exercices Fractions décimales**

Atelier 3

- Refaire des exemples à partir du livret « Histoire d'un juge ».
- **Mini-fichier Problèmes**
Avancer dans le fichier à son rythme

- Lecture des pages 6 et 7 du livret « Histoire d'un tailleur ».
Dictée de nombres décimaux (vous choisissez selon la compréhension des élèves à ce niveau de réactivation des connaissances).
- **Mini-fichier Problèmes**

Atelier 4

- **Mini-fichier Architecte**

Régulation

- Pour construire cette séance, vous pouvez par exemple :
- faire un retour sur les devoirs et le tracé de perpendiculaires ;
- prévoir un temps de calcul mental de 10 minutes autour des procédures de calcul (+ 9, + 99, + 101) ou avec les fiches de suivi des tables ;
- jouer au jeu de l'omelette et expliciter les stratégies.
- reprendre les premiers jeux de l'année pour voir l'évolution de leur compréhension et de leurs stratégies ;
- organiser différents ateliers (sur des propositions similaires aux précédentes) ou construire une séance sur mesure axée sur une compétence clé au regard de vos évaluations/observations.

MODULE 10
SÉANCE 6

Activités ritualisées

● **Lecture de l'heure**
Avec une horloge, afficher une heure, leur demander de l'écrire à l'ardoise. Puis demander d'ajouter une durée *(Différencier selon* CM1 *ou* CM2*)* et qu'ils écrivent l'heure finale. (× 4)
Exemple : afficher 9 h 15 puis ajouter 15 minutes en CM1 ou 25 minutes en CM2.

Calcul mental

● **Chronomath 5**
Correction et ajouter son résultat dans son graphique.

Résolution de problèmes

● Résoudre collectivement le problème suivant :
*« Un élève trace un rectangle qui a pour longueur 7 cm (*CM2 *: 7,5 cm). Son voisin trace un rectangle dont la longueur mesure 2 cm de plus (*CM2 *: 2,5 cm). Ils collent leur rectangle l'un à côté de l'autre. Quelle est la longueur totale de ce nouveau grand rectangle ? »*
Temps de lecture oral de l'énoncé, recherche individuelle courte, aide à la schématisation, étayage puis correction collective.

Apprentissage

Les parallèles

● **Fiche Classement de droites** en binômes.
Demander de classer ces paires de droites. Faire une mise en commun et une synthèse.
Faire émerger les trois possibilités : droites qui se coupent (sécantes), droites perpendiculaires et droites qui ne se coupent pas. Donner le vocabulaire : « des droites parallèles sont des droites qui ne se coupent jamais ».

● Lecture collective de la **Leçon 12** (sauf vidéos sur les parallèles).
Leur demander de se mettre en équipe de trois et de chercher dans la classe quatre exemples de droites parallèles (sur les murs, sur des objets, etc.).
Mise en commun.

● Visionnage de la vidéo 1 sur les parallèles.
Fiche Exercices droites pour vérifier si les droites sont parallèles.
Correction individuelle.

● **Mini-fichier Ville au trésor** ou **Pays au trésor**

MODULE 10 SÉANCE 7

Activités ritualisées

- **Dictée de nombres décimaux** à l'ardoise sous la forme « deux virgule 13 » (× 4) puis sous la forme « 2 unités et 4 centièmes » (dixièmes pour les CM1 et centièmes pour les CM2). (× 3)

Calcul mental

- **Activité de calculs en ligne**

Trouver la façon la plus astucieuse de calculer de tête :
CM1 $45 \times 15 \times 4$ CM2 $45 \times 150 \times 40$
Comparaison des procédures : nécessité de décomposer, d'utiliser la commutativité pour rendre le calcul plus accessible : $45 \times 15 \times 4 = 5 \times 9 \times 3 \times 5 \times 4$, puis on utilise la commutativité.

Résolution de problèmes

CM1

- « Papa et maman ont acheté une voiture. Ils avaient 12 000 € d'économie. La voiture ne leur a couté que les deux tiers de leurs économies. Combien a couté la voiture ? »

CM2

- « Papa et maman ont acheté une voiture. Ils avaient 18 000 € d'économie. La voiture ne leur a couté que les trois quarts de leurs économies. Combien a couté la voiture ? »

Apprentissage

CM1

- Retour sur les devoirs.
- Distribuer une feuille blanche. Au milieu, ils tracent une droite. Rappel de ce qu'est une droite parallèle. Leur demander de chercher différentes façons de tracer des parallèles. Ils travaillent en binômes.

Mise en commun.
Comparaison des procédures et validation.
Les procédures utilisant les deux côtés de la règle, les côtés d'objets rectangles (boite de CD, etc.) sont tout à fait valides.
Présenter la technique à partir du guide-âne. Leur distribuer. Ils essaient dans leur cahier d'en tracer plusieurs avec la technique du guide-âne.
Présenter la technique à partir de l'équerre.
Ils essaient dans leur cahier d'en tracer plusieurs avec la technique du guide-âne.
Visionnage de la vidéo de la **Leçon 12** sur le tracé de parallèles.

- **Mini-fichier Ville au trésor**

CM2

- Retour sur les devoirs
- Visionnage de la vidéo de la **Leçon 12** sur le tracé de parallèles.
- Exercice :

Sur une feuille blanche tracer une droite rouge, une droite bleue, une droite verte qui se coupent pour former un triangle ainsi :

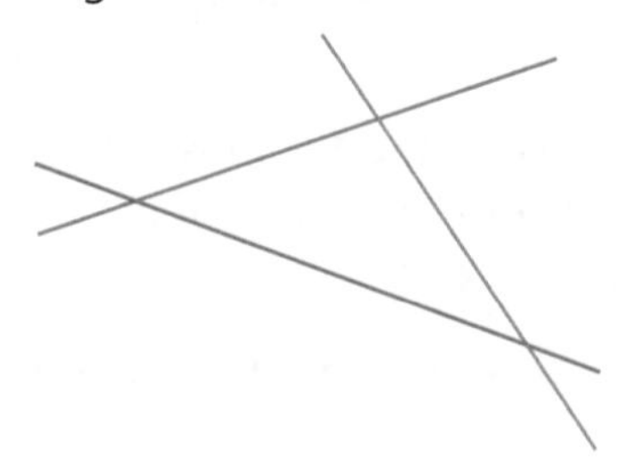

Puis ils doivent tracer une parallèle pour chaque droite de couleur.
Question à poser ensuite : « *Est-ce qu'elles forment un triangle ?* »

- **Mini-fichier Pays au trésor**

MODULE 11

6 SÉANCES

Objectifs majeurs du module

CM1

- Les fractions
- Les droites particulières
- La proportionnalité

CM2

- Les fractions
- Les droites particulières
- La proportionnalité

Matériel

CM1

- **Fiches** Carte mentale de $\frac{1}{4}$
- **Fiche** Problème recette

- **Fiche** Exercices droites perpendiculaires

- **Fiche** Tangram

- **Fiche** DEVOIRS Fractions

- **Mini-fichier** Fractions

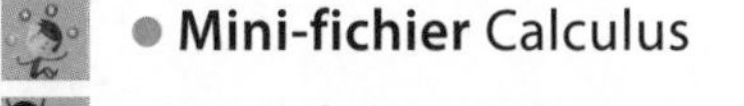

- **Mini-fichier** Calculus

- **Mini-fichier** Ville au trésor
- **Leçons** 12 et 13
- **Jeu** Domino des fractions
- @ Cartes flash fractions, boite à énigmes

CM2

- **Fiche** *Rituel* Le nombre décimal du jour (1)
- **Fiche** Problème recette
- **Fiche** Exercices droites perpendiculaires
- **Fiche** Tangram
- **Fiche** DEVOIRS Fractions
- **Mini-fichier** Décimaux
- **Mini-fichier** Calculus
- **Mini-fichier** Pays au trésor
- **Leçons** 12 et 13
- @ Boite à énigmes

Devoirs

CM1

- **Pour la séance 2 :** Fiche DEVOIRS 1.
- **Pour la séance 3 :** relire la Leçon 12.
- **Pour la séance 4 :** Fiche DEVOIRS 2.
- **Pour la séance 5 :** relire le livret « Histoire d'un juge ».
- **Pour la séance 6 :** relire la carte mentale de $\frac{1}{4}$ et trouver une nouvelle façon de représenter $\frac{1}{4}$.

CM2

- **Pour la séance 2 :** Fiche DEVOIRS 1.
- **Pour la séance 3 :** relire la Leçon 12.
- **Pour la séance 4 :** Fiche DEVOIRS 2.
- **Pour la séance 5 :** relire le livret « Histoire du tailleur ».
- **Pour la séance 6 :** choisir cinq nombres décimaux et les écrire sous forme de fractions décimales dans le cahier.

MODULE 11

CE QU'IL FAUT SAVOIR

Rituel : le nombre décimal du jour CM2

Les élèves disposent de la **Fiche *Rituel* Le nombre décimal** du jour plastifiée ou glissée dans une pochette transparente pour être réutilisable.

Comme pour le rituel des grands nombres, le choix des nombres est la variable didactique de cette activité dont l'objectif est d'installer en mémoire la connaissance sur les nombres. Un nombre comme 2 356,734 n'a guère d'intérêt. Il s'agit de choisir un nombre qui permette de vérifier la compréhension du nombre décimal. Par exemple 12,75 puis 9,05 puis 10,209.

Le rituel peut donner lieu à la création d'une affiche mémoire collective.

Les problèmes de proportionnalité

Les problèmes utilisés en atelier font référence à de vraies recettes de cuisine. N'hésitez pas à les faire en classe ! Cela permet de mettre du sens sur ce travail de proportionnalité, mais aussi sur l'utilisation des mesures dans des situations réelles et concrètes.

Toute activité réelle de mesures est à privilégier : recettes de cuisine, expériences scientifiques, etc.

Les difficultés dans les tracés géométriques

Les élèves peuvent encore rencontrer des difficultés pour les tracés en géométrie, malgré les remédiations. Au-delà d'un indispensable entrainement, la question du choix des outils peut se poser. Il existe des alternatives à la règle et à l'équerre. Consultez l'article dédié sur le site.

Le jeu du domino des fractions

La méthode vous propose un jeu sur les fractions. Il n'est pas si simple et l'expérience a montré que beaucoup d'élèves ne savent pas jouer aux dominos. N'hésitez pas à recourir à des alternatives : le jeu des Ateliers des potions, les applications en ligne (cf. outils numériques présentés sur le site), etc.

M@ths-en-vie

C'est un projet interdisciplinaire en Français et Mathématiques autour de l'utilisation de photographies de la vie réelle. L'objectif est d'ancrer les mathématiques dans le réel afin d'améliorer la compréhension en résolution de problèmes, en développant la perception des élèves sur les objets mathématiques qui nous entourent.

À partir de photos, des problèmes sont proposés ou construits. Dans la banque de « photos problèmes », vous pourrez choisir des problèmes classés par catégories pour que les élèves s'y essaient en binômes.

Cette activité trouvera pleinement sa place lors des séances de régulation.

SÉANCES 1 À 4

Activités ritualisées

CM1

- Lecture d'une carte flash fractions

Dans le cahier, écrire la fraction sous trois représentations différentes parmi : forme fractionnaire, en lettres, en séparant une bande/carré/cercle, sur la droite graduée…

CM2

- ***Rituel*** **Le nombre décimal du jour (1)**

Calcul mental

- S1 : **Mini-fichier Calculus :** compléter la fiche 6.
- S2 : calculer le tiers d'un nombre.

CM1 150 et 315 ; CM2 327 et 636 (*720* pour différencier)

Les procédures passent par la décomposition (636 = 600+36, je prends le tiers de chaque nombre que j'ajoute ensuite).

- S3 : **Mini-fichier Calculus :** fiche 7.
- S4 : multiplier par 10, 100, 1 000 des nombres < 10 000 en CM1 et < 100 000 en CM2. (× 5)

Résolution de problèmes

- S1 à S4 : **problèmes à l'oral,** ils disposent de 3 minutes de recherche à l'ardoise.

CM1

S1 : *« Mamie prépare 24 cupcakes pour le gouter des quatre enfants. Finalement, il y aura* ***deux*** *fois plus d'enfants. Combien de gâteaux doit-elle préparer ? »*

S2 : *« Pour faire une brouette de béton, l'ouvrier a mélangé 15 kg de sable et 8 kg de ciment. Combien de sable et de ciment faut-il pour faire* ***10*** *brouettes de béton ? »*

S3 : *« La voiture de la famille a besoin de 7 litres d'essence pour faire 100 km. Combien de litres d'essence faut-il pour faire* ***500 km*** *? »*

S4 : *« J'achète une sucette à 50 centimes. Combien je vais payer pour* ***5*** *sucettes ? »*

CM2

S1 : *« Mamie prépare 24 cupcakes pour le gouter des quatre enfants. Finalement, il y aura* ***douze*** *fois plus d'enfants. Combien de gâteaux doit-elle préparer ? »*

S2 : *« Pour faire une brouette de béton, l'ouvrier a mélangé 15 kg de sable et 8 kg de ciment. Combien de sable et de ciment faut-il pour faire* ***20*** *brouettes de béton ? »*

S3 : *« La voiture de la famille a besoin de 7 litres d'essence pour faire 100 km. Combien de litres d'essence faut-il pour faire* ***50 km*** *? »*

S4 : *« J'achète une sucette à 80 centimes. Combien je vais payer pour* ***10*** *sucettes ? »*

Apprentissage

4 ateliers à mettre en place, à faire tourner sur les 4 séances.

Atelier 1

● Donner à lire la **Fiche Carte mentale de $\frac{1}{4}$**. La lire et la commenter.
Elle peut être collée dans le cahier de leçons.

● Découverte du **Mini-fichier Fractions** : faire avec eux la fiche 1 puis ils avancent à leur rythme !

● Découverte du **Mini-fichier Décimaux**.

Atelier 2

● **Fiche Problème recette**

● **Boite à énigmes**

Atelier 3

● **Fiche Exercices droites perpendiculaires**

● **Mini-fichier Ville au trésor**

● **Fiche Exercices droites perpendiculaires**

● **Mini-fichier Pays au trésor**

Atelier 4

● Au tableau ou sur une affiche, proposer trois opérations de chaque type (addition, soustraction, multiplication) en annonçant trois niveaux de difficulté différents (*, **, ***).
Dans le cahier, ils choisissent et posent une opération de chaque type qu'ils vérifient en autonomie à la calculatrice. S'ils se trompent, ils en refont une.

● **Jeu Domino des fractions**

● Travailler sur l'addition des décimaux :
– soit à partir de la vidéo des fondamentaux ;

L'addition des décimaux
https://lc.cx/gQrK

– soit à partir d'un exemple commenté avec les élèves.
Ils s'entrainent ensuite dans le cahier sur des nombres accessibles < 100 du type :

23,45 + 38,72

Ils vérifient leurs résultats à la calculatrice.
Proposez des entrainements de difficulté variée. Les variables didactiques sont nombreuses : avec ou sans retenue, place de la retenue, ajout de nombres en dixièmes, en centièmes ou de même longueur.

Régulation

- Pour construire cette séance, vous pouvez par exemple :
- faire un retour sur les devoirs ;
- faire un temps de calcul mental avec les fiches de suivi des tables ;
- organiser différents ateliers. Par exemple :
  - finir les ateliers non terminés ;
  - avancer sur les mini-fichiers ;
  - résoudre des problèmes autour du projet M@ths-en-Vie.

Pour les CM2, vous pouvez retravaillez l'addition de nombres décimaux en jouant sur les variables didactiques, selon les besoins des élèves.

Notes personnelles

Activités ritualisées

● Sur un quadrillage (dans le cahier ou sur une feuille à petits carreaux), tracer à main levée : un carré, un triangle, un losange et un rectangle.
Demander : « Le carré est-il un rectangle ? » CM1 ou « Le carré est-il un losange ? » CM2
Cet exercice est un rappel en mémoire, et surtout l'occasion de retravailler sur le vocabulaire.
La correction se fait en direct, en passant dans les rangs, en validant directement ou par validation d'un élève par son voisin.

Calcul mental

CM1

● Entrainement aux divisions :
18 : 2 – 24 : 3 – 27 : 3 – 25 : 5 – 50 : 5
Montrer comment trouver le résultat à partir de la table de Pythagore.

CM2

● Entrainement aux divisions :
180 : 2 – 240 : 3 – 270 : 3 – 250 : 5 – 5 000 : 5
Montrer comment trouver le résultat à partir de la table de Pythagore.

Résolution de problèmes

● Résoudre collectivement un problème donné (vous inventez un énoncé au regard des besoins des élèves sur leurs difficultés) : un temps de lecture oral de l'énoncé, recherche individuelle courte, aide à la schématisation, étayage puis correction collective.

Apprentissage

● **Les différents angles**
Distribuer à chaque élève la **Fiche Tangram**.
CM1 Ils doivent découper et réaliser un rectangle avec les formes.
CM2 Ils doivent découper et réaliser un cœur avec les formes.
Les laisser chercher. Confronter les procédures. Corriger.
Aider au besoin en donnant une ou deux bonnes pièces pour éviter qu'ils tournent en rond…
Leur demander de coller les figures dans leur cahier, de les nommer (si polygone) et de marquer les angles droits sur les figures en rouge. Corriger.
Prendre la pièce E en CM1 ou C en CM2. Montrer les angles. « Sont-ils égaux ? »
Les laisser chercher et proposer une solution (calque). Corriger (ils sont égaux !).
Lire la **Leçon 13** sur les angles.
Sur chaque figure du tangram, marquer les angles aigus en bleu et les angles obtus en vert.

MODULE 12

7 SÉANCES

Objectifs majeurs du module

CM1

- Les fractions
- La résolution de problèmes
- La proportionnalité

CM2

- Les décimaux
- La résolution de problèmes
- La proportionnalité

Matériel

CM1

- **Rallye maths** manche 2
- **Chronomath 6**
- **Fiches** *Rituels* L'intrus et La fraction du jour (2)

- **Fiche** Problèmes proportionnalité
- **Fiche** Illusion d'optique
- **Fiches** Triangles : recherche et exercice

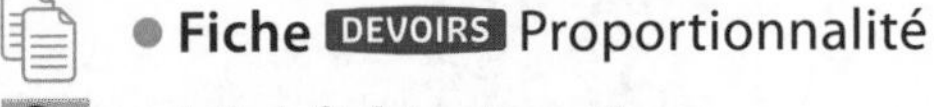

- **Fiche** DEVOIRS Proportionnalité

- **Mini-fichier** Fractions
- **Mini-fichier** Problèmes

- **Leçons** 8, 11, 13 et 14

- **Jeux** La cible, le domino des fractions

CM2

- **Rallye maths** manche 2
- **Chronomath 6**
- **Fiches** *Rituel* L'intrus et Le nombre décimal du jour (1)

- **Fiche** Problèmes proportionnalité

- **Fiche** Illusion d'optique

- **Fiches** Exercices triangles
- **Fiche** DEVOIRS Proportionnalité

- **Mini-fichier** Décimaux

- **Mini-fichier** Problèmes

- **Leçons** 11, 13 et 14

- **Jeux** La cible, le domino des fractions

Devoirs

CM1

- **Pour la séance 2 :** apprendre la Leçon 13.
- **Pour la séance 3 :** relire la Leçon 8.
- **Pour la séance 4 :** revoir les tables.
- **Pour la séance 6 :** relire la Leçon 11 ; faire deux divisions d'un nombre à trois chiffres par un nombre à un chiffre.
- **Pour la séance 7 :** Fiche DEVOIRS.

CM2

- **Pour la séance 2 :** apprendre la Leçon 13.
- **Pour la séance 3 :** relire le livret « Histoire d'un juge ».
- **Pour la séance 4 :** revoir les tables.
- **Pour la séance 6 :** relire la Leçon 11 ; faire deux divisions d'un nombre à trois chiffres par un nombre à deux chiffres.
- **Pour la séance 7 :** Fiche DEVOIRS.

MODULE 12

CE QU'IL FAUT SAVOIR

Le jeu de la cible

Ce jeu est utilisé du CP au CM2 du fait de sa modularité. Il permet de travailler sous une autre forme les décompositions de nombres, les additions, etc. Une fois mis en place, il présente l'avantage d'être ludique et rapide dans sa mise en œuvre.

Il est fortement conseillé d'y jouer en EPS avec une vraie cible à scratch pour comprendre le fonctionnement. Cela pourra faire l'objet d'ateliers de lancers.

Le choix des valeurs se fait sur les variables didactiques : par exemple poser dix marques dans la zone « 1 » pour créer une dizaine, n'en mettre aucune dans une zone, etc.

Le jeu fonctionne très bien en autonomie, avec un élève « maitre du jeu ».

Rituel : l'intrus

Ce rituel demande d'abord que les élèves comprennent le mot « intrus » et ce qu'il signifie. Ils doivent choisir une des propositions et justifier pourquoi il s'agit de l'intrus.

Sur les quatre propositions faites, il faut trouver les intrus pour au moins deux ou trois propositions. Sur les nombres, on pourra avoir des réponses faciles, du type « c'est le seul nombre encadré entre … et … ».

La première fiche permettra de comprendre le principe du rituel. En effet, chaque réponse peut être l'intrus :

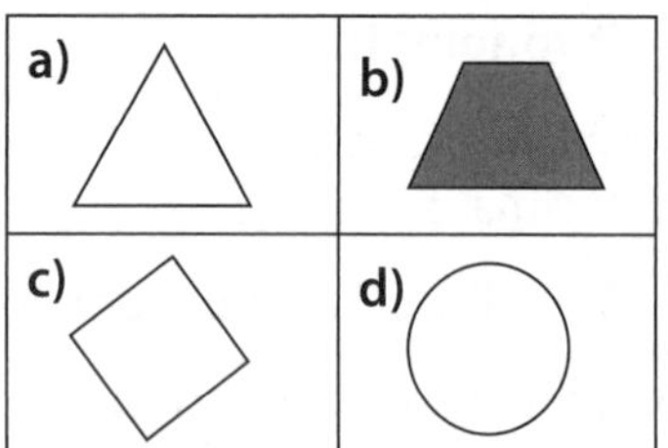

a. *Intrus, car c'est la seule figure à trois côtés*
b. *Intrus, car c'est la seule figure avec des angles obtus*
c. *Intrus, car c'est la seule figure qui a des angles droits*
d. *Intrus, car c'est la seule figure qui n'est pas un polygone*

L'objectif n'est donc pas de trouver « la » bonne réponse, mais d'argumenter.

Cette activité est directement inspirée d'une pratique québécoise.

Le projet QELI
http://qeli.lapageadage.com/projet-qeli-comment-faire/

La proportionnalité

La proportionnalité est une notion complexe qui met parfois les enseignants eux-mêmes en difficulté. Son enseignement n'est pas simple. Je vous invite à lire le dossier d'Eduscol à ce sujet qui est assez éclairant.

Dans la programmation de cycle, le travail sur le passage à l'unité sera réservé au CM2 et le coefficient de proportionnalité laissé à la classe de 6e. Cela permet de laisser le temps aux élèves de bien comprendre le concept avant de chercher à se lancer dans des techniques.

La proportionnalité (1)
https://huit.re/proportionnalite

La proportionnalité (2)
https://huit.re/proportionnalite2

MODULE

12 SÉANCES 1 ET 2

Activités ritualisées

CM1

- ***Rituel* La fraction du jour (2)**

(▶ Voir module 11)

On refait le lien entre fractions décimales et nombres décimaux. Il s'agit d'éviter la confusion $\frac{1}{3}$ = 1,3, donc être explicite dans les explications

CM2

- ***Rituel* Le nombre décimal du jour (1)**

(▶ Voir module 13)

Calcul mental

- Interrogation des tables de multiplication avec la fiche de suivi (3 minutes).
- **Jeu de la cible**

S1 : présenter la cible. Donner aux différentes zones les valeurs suivantes :

Rouge : 100 000 – vert : 10 000 – bleu : 1 000 – jaune : 10

Mettre des marques sur les différentes zones et voir comment on calcule le score.
Recommencer avec un autre exemple. Puis, donner le nombre 23 010 et leur demander comment faire avec six marques.

S2 : proposer deux coups en donnant les marques, puis deux coups où il faut trouver les marques avec un nombre donné. CM1 Même zones qu'en S1. CM2 Rouge : millième – vert : centième – bleu : dixième – jaune : 1

Résolution de problèmes

- Résoudre collectivement un problème autour des mesures (par exemple sur des mesures de masse).

Temps de lecture à l'oral de l'énoncé, recherche individuelle courte et construction de la schématisation (par barres par exemple), puis résolution collective.

Apprentissage

CM1

S1

- **Mini-fichier Fractions :** compléter une fiche.
- **Mini-fichier Problèmes :** résoudre un problème.
- **Jeu Domino des fractions**

S2

- Relecture de la **Leçon 11** sur la division.

Au tableau ou sur une affiche, proposer neuf divisions en annonçant trois niveaux de difficulté (*, **, ***) avec des diviseurs à un chiffre.
Dans le cahier, ils choisissent et posent trois divisions qu'ils vérifient en autonomie à la calculatrice.

- **Mini-fichier Fractions :** compléter au moins une fiche.

CM2

S1

- **Mini-fichier Décimaux :** compléter deux fiches.
- **Mini-fichier Problèmes**

S2

- **Jeu domino des fractions**
- Entrainement aux opérations. Différencier selon leurs besoins : choix de l'opération et choix des nombres (entiers ou décimaux).

Dans le cahier, ils choisissent et posent trois opérations comme demandé.
Ils vérifient en autonomie à la calculatrice.

Activités ritualisées

● **Dictée de nombres** à l'ardoise (× 6) puis classer les nombres par ordre croissant.
CM1 grands nombres.
CM2 nombres décimaux.
Dans la correction, replacer les nombres sur une droite graduée.

Calcul mental

● **Rallye Maths :** manche 2.
Pour l'exercice 3 (proposition 1), distribuez aux élèves le plan du métro de Montréal grand format disponible dans les fiches du module 14.

Régulation

● Pour construire cette séance, deux temps sont à prévoir.
1. La **correction du rallye** (cf. conseils donnés précédemment).
2. Un temps de travail que vous définirez :
– finir des tâches non achevées les jours précédents ;
– s'entrainer sur une compétence ciblée, en avançant sur un mini-fichier par exemple ;
– remédier à une difficulté particulière avec un groupe pendant que d'autres élèves sont sur une activité autonome : la différence fraction/fraction décimale ou la définition d'un nombre décimal ;
– problèmes autour du projet M@ths-en-Vie.

Activités ritualisées

- **Dictée de nombres** sous la forme : 2 unités et 5 dixièmes ou 15 unités et 35 centièmes, à écrire sous forme de fractions décimales. (× 5)

Différencier entre CM1 *et* CM2.

Calcul mental

- Interroger la table de 11. (× 5)

CM1

- Donner un multiple qui soit supérieur à 100 des nombres suivants :

12 – 20 – 50

CM2

- Donner un diviseur des nombres suivants :

48 – 99 – 185

Apprentissage

- **Entrainement de géométrie**

Sur une feuille blanche au format A5, demander de tracer une droite au milieu de la feuille environ, puis de placer un point pour tracer une parallèle à la droite qui passe par ce point. Expliciter devant eux comment tracer la parallèle.

- **Fiche Illusion d'optique**

Montrer à chacun l'illusion d'optique et leur demander ce qu'ils voient.

CM1 « Laquelle des flèches est la plus courte ? »

CM2 « Les droites sont-elles parallèles ? »

Les laisser chercher par groupes de trois, en leur donnant le document. Synthèse collective.

Ils reproduisent ensuite l'illusion d'optique en individuel sur feuille A5, d'abord au crayon puis en repassant au feutre.

MODULE
12 SÉANCES 6 ET 7

Activités ritualisées

- **Fiches *Rituel* L'intrus** : faire la fiche 1 (S6) et la fiche 2 (S7).

CM1

- Comparer des fractions de même dénominateur à l'ardoise. (× 4)

CM2

- Écrire des fractions à l'ardoise, sous la forme d'un entier + une fraction.

S6 : $\frac{5}{4}$ – $\frac{11}{7}$

S7 : $\frac{9}{4}$ – $\frac{10}{3}$

Calcul mental

- S6 : **Mini-fichier Calculus :** compléter la fiche 8.
- S7 : **Chronomath 6**

Apprentissage

CM1

S6

- Demander de tracer à l'ardoise ou sur feuille blanche trois triangles différents.
Demander s'ils connaissent différentes sortes de triangles.
- **Fiche Recherche triangles :** à faire collectivement (distribuée ou simplement vidéoprojetée).
- **Fiche Exercices triangles**
- Lecture de la **Leçon 14** sur les triangles.

CM2

S6

- Lecture de la **Leçon 14** sur les triangles.
- **Fiche Exercices triangles**

S7 : **Fiche Problèmes proportionnalité**

- Donner à résoudre les trois problèmes de proportionnalité. Ils les lisent individuellement puis les résolvent en binômes, sans calculatrice. Correction collective. Puis mise en commun : quelles observations ? Quelles procédures utilisées ? Comparaison, étude des procédures utilisées (multiplication) pour en arriver à la conclusion de situation de proportionnalité.

Il faut faire le lien avec les situations antérieures. Le concept de proportionnalité est compliqué à assimiler pour les élèves. Ne pas hésiter à représenter la situation, schématiser…

MODULE

13

8 SÉANCES

Objectifs majeurs du module

CM1

- Les problèmes de mesure
- La proportionnalité
- Les aires

CM2

- Les problèmes de mesure
- La proportionnalité
- Les aires

Matériel

CM1

- **Fiche** *Rituel* La fraction du jour (3)

- **Fiche** Exercices angles
- **Fiche** Problèmes aires
- **Fiche** Exercices fractions décimales
- **Fiche** Comparaisons de fractions
- Livre des mesures, tome 1
- **Fiches** Plans de maisons
- **Fiche** Plan de ville
- **Fiche** DEVOIRS Tableau
- **Mini-fichier** Calculs d'aires
- **Mini-fichier** Architecte
- **Mini-fichier** Fractions
- **Leçons** 2, 13, 14 et 15
- **Jeux** La cible, le domino des fractions

CM2

- **Fiche** *Rituel* La fraction du jour (3)
- **Fiche** Exercices angles
- **Fiche** Problème aires
- **Fiche** Problèmes proportionnalité
- **Fiche** Fractions et Legos
- Livre des mesures, tome 2
- **Fiche** Plan de ville
- **Fiche** DEVOIRS Tableau
- **Mini-fichier** Calculs d'aires
- **Mini-fichier** Architecte
- **Mini-fichier** Décimaux
- **Leçons** 2, 13, 14 et 15
- **Jeu** La cible

Devoirs

CM1

- **Pour la séance 1 :** relire la Leçon 2.
- **Pour la séance 2 :** Fiche DEVOIRS (étape 1).
- **Pour la séance 3 :** Fiche DEVOIRS (étape 2).
- **Pour la séance 4 :** revoir les tables.
- **Pour la séance 5 :** apprendre la Leçon 14.
- **Pour la séance 6 :** revoir les tables
- **Pour la séance 7 :** apprendre la Leçon 15.

CM2

- **Pour la séance 1 :** relire la Leçon 2.
- **Pour la séance 2 :** Fiche DEVOIRS (étape 1).
- **Pour la séance 3 :** Fiche DEVOIRS (étape 2).
- **Pour la séance 4 :** revoir les tables.
- **Pour la séance 5 :** apprendre la Leçon 14.
- **Pour la séance 6 :** revoir les tables.
- **Pour la séance 7 :** apprendre la Leçon 15.

MODULE 13

CE QU'IL FAUT SAVOIR

Rituel : la fraction du jour (2)

Le rituel a été enrichi progressivement et arrive dans sa version finale. Vous pourrez donc en faire un document plastifié qui sera complété régulièrement. Il a pour objectif de travailler sur les différentes représentations des fractions : une représentation dessinée rapidement (quadrillage, disque…), l'écriture fractionnaire, le nom (sur les pointillés), le placement sur la droite graduée.

Les CM1 comparent la fraction à l'unité, tandis que les CM2 complètent à l'unité supérieure.

Il est important de bien comprendre **les trois sens de la fraction.**
- On parle d'abord de **fraction partage** : le nombre total de parts est donné par le dénominateur. Le numérateur donne le nombre de parts que l'on prend (cf. division partition). Exemple : $\frac{3}{2}$, c'est trois fois un demi. Le numérateur renvoie à une grandeur alors que le dénominateur non. C'est le premier sens travaillé à l'école, car la fraction ne sert alors qu'à introduire les décimaux. On la travaillera aussi en mesure 1 cm = 1/100 m.
- Le deuxième sens est celui de **fraction quotient** : les élèves apprennent que a/b est le nombre qui, multiplié par b, donne a. Par exemple, j'ai trois objets (pizzas, baguettes…) et je partage le tout en cinq parts égales. Les repères de progressivité des programmes réservent ce travail à la classe de 6e, car le lien entre fraction quotient et fraction partage est très difficile à comprendre pour les élèves.
- Enfin, il existe un autre sens : la **fraction proportion**. Par exemple : les trois-quarts des élèves de l'école sont des garçons. La fraction est vue comme une proportion. Les nombres renvoient alors à des grandeurs de différentes natures. Par exemple : les vitesses, rendements, etc. Ce sens est complexe et sera approfondi au collège, mais on peut commencer à sensibiliser les élèves.

Le livre des mesures (1)

Il s'agit de croiser différentes disciplines et ce travail devra être complété en Histoire ou en Français (vocabulaire pour le travail sur les préfixes). Cette entrée culturelle incite à mettre en œuvre des compétences de recherche, à partir d'ouvrages ou d'Internet, tout en constituant une base de références sur chaque mesure. Le livre est réparti en deux tomes qui se complètent : le tome 1 en CM1 et le tome 2 en CM2. Deux séances y seront consacrées : l'une au module 13 et l'autre au module 14.

Les aires

Il faut être précis sur le vocabulaire. **La surface** correspond à l'objet physique. **L'aire** est une grandeur mesurable (mais il n'existe pas d'instrument pour la mesurer). Sa mesure s'exprime avec un nombre à l'issue d'un calcul.

L'entrée dans le concept d'aire se fait par un travail de comparaison. Ils vont comparer des aires directement (par superposition), par découpage et recollement ou avec une unité de mesure. Ils doivent construire et manipuler le concept. L'objectif est de remplacer les manipulations sur les objets par des opérations sur les nombres.

Cette notion est difficile pour les élèves, car ils font une confusion avec l'idée d'encombrement. Ainsi, ils considèrent souvent qu'un rectangle de 3 × 10 cm possède une aire supérieure à un carré de 6 cm de côté.

Les élèves apprendront les formules de calculs d'aires du carré et du rectangle. Ils vont alors découvrir un autre aspect de la multiplication, non pas comme addition réitérée, mais comme produit de mesures.

MODULE
13 SÉANCES 1 À 4

Activités ritualisées

- **S1 à S4 : Fiche *Rituel* La fraction du jour (3)**

Faire un premier exemple en collectif (S1), puis proposer une fraction adaptée au niveau des élèves de S2 à S4.

CM2 En S1 donner $\frac{1}{2}$ pour arriver à l'égalité $\frac{1}{2} + \frac{1}{2} = 1$ que vous pouvez illustrer par une représentation (disque, legos…).

Calcul mental

- **Jeu de la cible**

CM1

zones : 10 – 1 – 0,5 – 0,1

- Première partie en donnant les marques. (Par exemple, une marque dans chaque zone).

Puis faire deux parties en donnant le total et le nombre de marques pour réaliser le score.

Exemple : 1,8 avec 5 marques

CM2

zones : 10 – 1 – 0,2 et 0,02

- Première partie en donnant les marques. (Par exemple, une marque dans chaque zone).

Puis faire deux parties en donnant le total et le nombre de marques pour réaliser le score.

Exemple : 2,64 avec 7 marques

Résolution de problèmes

- **Problème oral** (ils ont la calculatrice à disposition)

Correction collective. Expliciter la question de la proportionnalité.

L'objectif de ces problèmes est de vite trouver la proportionnalité et la résolution.

S1 : *« Pour soigner sa toux, Mamie prend **5 cL** de sirop par jour. Combien de sirop aura-t-elle bu à la fin de la semaine ? »*

S2 : *« Le camion de la poste transporte **25** colis de **6 kg**. Quel poids total emporte-t-il ? »*

S3 : *« Jules est dans le train. Il parcourt 50 km en **20 minutes**. Combien de km va-t-il faire en une heure? »*

S4 : *« Dans la recette de la mousse au chocolat, il faut 150 g de chocolat pour faire 4 pots. Combien de chocolat faut-il pour faire **12** pots ? »*

S1 : *« Pour soigner sa toux, Mamie prend **7,5 cL** de sirop par jour. Combien de sirop aura-t-elle bu à la fin de la semaine ? »*

S2 : *« Le camion de la poste transporte **50** colis de **3,5** kg. Quel poids total emporte-t-il ? »*

S3 : *« Jules est dans le train. Il parcourt 50 km en **10 minutes**. Combien de km va-t-il faire en une heure ? »*

S4 : *« Dans la recette de la mousse au chocolat, il faut 150 g de chocolat pour faire 4 pots. Combien de chocolat faut-il pour faire **20** pots ? »*

Apprentissage

4 ateliers à mettre en place, à faire tourner sur les 4 séances.

Atelier 1

- Relecture individuelle de la Leçon 13 sur les angles.
- **Fiche Exercices angles**
- **Mini-Fichier Architecte**

Atelier 2

- **Fiche Fractions décimales**
- **Mini-fichier Fractions**
- **Fiche Problèmes proportionnalité**
- **Mini-Fichier Décimaux**

Atelier 3

- **Livre des mesures**, seul ou en binôme, dans l'ordre qu'ils souhaitent. Prévoir le matériel nécessaire pour qu'ils puissent le faire (outils de recherche, catalogue, etc.).

Atelier 4

- **Opérations**

Au tableau ou sur une affiche, proposer :
- 6 soustractions en annonçant trois niveaux de difficulté (*, **, ***) ;
- 6 multiplications en annonçant trois niveaux de difficulté (*, **, ***) ;
- 6 divisions en annonçant trois niveaux de difficulté (*, **, ***).

CM1 diviseurs à 1 chiffre. CM2 diviseurs à 2 chiffres.

Dans le cahier, ils choisissent et posent deux opérations de chaque type qu'ils vérifient en autonomie à la calculatrice.

Régulation

- Pour construire cette séance, vous pouvez par exemple :
- faire un retour sur les devoirs ;
- prévoir un temps de calcul mental avec les fiches de suivi des tables ;
- organiser différents ateliers. Par exemple :
  - avancer le livre des mesures ;
  - finir les ateliers non terminés ;
  - revenir sur la résolution de problèmes et la démarche
  - résoudre des problèmes autour du projet M@ths-en-Vie.

Activités ritualisées

● **Lire l'heure, calculer des durées**

Utiliser une horloge pour leur demander d'écrire sur l'ardoise l'heure affichée, sous les deux écritures possibles. (× 4)

Exemple : mettre la grande aiguille sur 5 et la petite sur 3 → 3 h 25 ou 15 h 25

À chaque fois, faire ajouter ou enlever une durée (heure, demi-heure) et écrire la nouvelle heure.

Résolution de problèmes

● **Problème oral**

« J'ai commandé un livre sur un site Internet le lundi à 18 heures. Le site m'indique que je serai livré dans 35 heures. Quel jour et à quelle heure le livre va-t-il arriver ? »

Apprentissage

CM1

Notion d'aire

● **Fiches Plans de maisons**

Distribuer les trois plans de maison en binômes.

Leur demander de ranger les surfaces des maisons de la plus petite à la plus grande. Ils ont à leur disposition tout le matériel de leur choix. Ils doivent prouver leur choix et ne pas le faire « juste à l'œil ».

Vous pouvez suggérer le calque, le pavage avec des legos, le découpage pour superposer et comparer…

Mise en commun. Comparaison. Expliquer qu'on appelle « aire » l'étendue d'une surface et qu'on a comparé les aires de chaque maison.

● **Fiche Exercices aires**

Dire qu'on peut calculer l'aire en prenant une unité. Ici, on va utiliser des carreaux de carrelage.

Réalisation individuelle de la fiche. Correction collective.

Faire une affiche avec ce qu'on a appris : *« L'aire d'une surface est sa mesure dans une unité d'aire (par exemple le carreau). Des surfaces différentes peuvent avoir la même aire. »*

CM2

Réactiver la notion d'aire

● Comme les élèves l'avaient fait pour la notion de périmètre, ils vont réactiver leurs connaissances sur les aires.

Les élèves sont par groupes de trois. Ils doivent fabriquer une affiche au format A3 pour expliquer ce qu'est une aire en mathématiques. Ils ont à leur disposition leurs souvenirs de CM1 et les dictionnaires. S'ils ont suivi la méthode MHM l'année précédente, invitez-les à se souvenir des exercices faits sur les plans de maison, la mesure avec les carreaux de carrelage, etc.

Sur l'affiche il doit y avoir une définition et un exemple.

Limiter le temps et étayer. La formalisation est plus difficile que pour le périmètre.

Exemple de définition : *« L'aire d'une surface est sa mesure dans une unité d'aire (par exemple le carreau). Des surfaces différentes peuvent avoir la même aire. »*

● **Fiche Exercices aires** en binômes.

Il s'agit de mettre en place des procédures : paver avec des legos, une surface unité, découper/comparer, etc.

Activités ritualisées

CM1

- Demander à l'ardoise :
  1 jour = … heures   1 semaine = … jours
- **Conversion de durées** (× 6)

CM2

- Demander à l'ardoise :
  1 heure = … min   1 min = … s
- **Conversion de durées** (× 6)

Calcul mental

- **Fiche Suivi des tables** (5 minutes)
- Trouver la façon la plus astucieuse de calculer de tête :
  CM1 12 × 25 × 16
  CM2 120 × 25 × 160

Résolution de problèmes

CM1

- **Problème à l'oral**
  « Pour remplir la piscine des enfants de 200 L, les parents ont versé 25 seaux. Quelle est la capacité d'un seau ? »
  Recherche individuelle. Correction collective.

CM2

- **Problème à l'oral**
  « Pour remplir la piscine de 600 L, les parents ont laissé couler le tuyau d'arrosage pendant 5 heures. Quelle quantité d'eau a coulé chaque minute ? »
  Recherche individuelle. Correction collective.

Apprentissage

Comparaison de fractions

- **Fiche Comparaisons de fractions**
  Comparer le classement fait dans le cahier.
  Faire une mise en commun sur la façon de comparer des fractions de même dénominateur.
  Fabriquer une affiche collectivement pour faire la synthèse.
- Exercice à recopier dans le cahier.
  Complète avec < ou > :

  $\frac{3}{5} \dots \frac{6}{5}$ $\frac{3}{4} \dots \frac{2}{4}$ $\frac{7}{8} \dots \frac{6}{8}$

  $\frac{7}{9} \dots \frac{12}{9}$ $\frac{8}{5} \dots \frac{3}{4}$ $\frac{1}{2} \dots \frac{6}{5}$
- **Jeu Domino des fractions** ou **Mini-fichier Fractions**

Fractions avec les Legos

- **Fiche Exercices Legos :** compléter avec le matériel à disposition.
- **Mini-Fichier Décimaux**

Activités ritualisées

● **Fiche Plan de ville** (donner un format A3 pour deux) et lire oralement les consignes suivantes :
- trouver la place Jourdan ;
- trouver un parking ;
- colorier deux rues parallèles ;
- colorier deux rues perpendiculaires ;
- tracer en rouge l'itinéraire de la gare au lycée.

Correction collective après chaque étape.

Résolution de problèmes

● **Problème oral** (on écrit les données au tableau)
« Pour partir sur l'Ile de Pâques, Jean doit prendre plusieurs avions.
Paris-Brésil : durée du vol 11 h 45.
Brésil-Chili : durée du vol 4 h 15.
Chili-Ile de Pâques : durée du vol 5 h 30.
Combien de temps de vol a-t-il au total ? »
Recherche individuelle puis correction collective.

Apprentissage

● Relire l'affiche fabriquée à la séance 6 sur les aires.
Lire la **leçon 15** sur les aires.

● Découverte collective du **Mini-Fichier Calculs d'aires :** faire collectivement les fiches 1 et 2, puis ils avancent à leur rythme.

Notes personnelles

MODULE 14

7 SÉANCES

Objectifs majeurs du module

CM1

- Les nombres décimaux
- Les angles
- Les mesures (aires et conversions)

CM2

- Les nombres décimaux
- Les angles
- Les mesures (aires et conversions)

Matériel

CM1

- **Chronomath 7**
- **Fiche** *Rituel* Le nombre du jour (3)
- **Fiche** Métro de Toulouse
- **Fiche** Fractions et Legos

- **Fiches** Tangram
- **Fiches** DEVOIRS Mesures
- **Mini-fichier** Calculus
- **Mini-fichier** Calculs d'aires
- **Mini-fichier** Circulo
- **Leçons** 6, 10, 13 et 15
- **Jeux** La guerre des champs, les nombres en chaine

CM2

- **Chronomath 7**
- **Fiche** *Rituel* Le nombre du jour (3)
- **Fiche** Gabarit d'angle
- **Fiche** Métro de Montréal
- **Fiche** Tickets de caisse
- **Fiches** Tangram
- **Fiche** Modèles cubes
- **Fiches** DEVOIRS Mesures
- **Mini-fichier** Calculus
- **Mini-fichier** Calculs d'aires
- **Mini-fichier** Circulo
- **Leçons** 6, 10, 13 et 15
- **Jeu** La guerre des champs

Devoirs

CM1

- **Pour la séance 1 :** relire la Leçon 10.
- **Pour la séance 2 :** relire la Leçon 13.
- **Pour la séance 3 :** Fiche DEVOIRS Mesures (1).
- **Pour la séance 4 :** revoir les tables.
- **Pour la séance 5 :** Fiche DEVOIRS Mesures (2).
- **Pour la séance 7 :** relire la Leçon 15.

CM2

- **Pour la séance 1 :** relire la Leçon 10.
- **Pour la séance 2 :** relire la Leçon 13.
- **Pour la séance 3 :** Fiche DEVOIRS Mesures (1).
- **Pour la séance 4 :** revoir les tables.
- **Pour la séance 5 :** Fiche DEVOIRS Mesures (2).
- **Pour la séance 7 :** relire la Leçon 15.

MODULE 14

CE QU'IL FAUT SAVOIR

Le livre des mesures (2)

Une deuxième séance est consacrée au livre des mesures lors d'un atelier. Ce sera la dernière séance consacrée à cette activité. Il faudra finir le livre soit en régulation soit sur d'autres temps disciplinaires.

Minecraft/Minetest

L'activité sur les cubes est un prétexte pour travailler sur la représentation d'objets dans l'espace et la perspective. Selon l'endroit où l'on se place, on ne voit pas la même chose. C'est une notion difficile encore pour les élèves.

Cette activité peut être le prétexte à lancer un projet numérique sur l'utilisation de « Minecraft/Minetest ». Ce jeu est bien connu des élèves. De façon simple, c'est un espace virtuel dans lequel on utilise des blocs pour construire des bâtiments. C'est un excellent support de travail en mathématiques. Un projet pourrait ainsi être mis en place pour représenter l'école, ou une école imaginaire… Ce qui obligerait à travailler sur le plan, les mesures, les surfaces, etc. Vous pouvez aller voir le travail du blog Charivari par exemple.

La résolution de problèmes (4)

Certains élèves ont fini les mini-fichiers Problèmes et d'autres avancent plus lentement. Il faudra donc par la suite différencier :

– pour les élèves qui ont fini et sont en réussite, un travail à partir de la **boite à énigmes** ou sur des problèmes tirés de m@ths-en-vie ;

– pour les élèves qui sont en difficulté, utiliser les régulations pour analyser et comprendre leur difficulté et revoir quelle typologie de problèmes les met en échec, ou si c'est une question de compréhension plus globale, ou de démarche… Une fois le nœud de la difficulté ciblé, vous y remédierez, en réunissant en groupes de besoin les élèves concernés. Reportez-vous au chapitre 7 sur la résolution de problèmes dans le Guide de la méthode et aux outils proposés en annexe (schémas de résolution).

Pour la résolution de problèmes, pensez aux différentes variables didactiques en jeu, notamment le contenu des textes (difficultés de vocabulaire, références culturelles…) et surtout le choix des nombres (entiers, décimaux, taille, etc.).

MODULE 14

SÉANCES 1 À 4

Activités ritualisées

- ***Rituel* Le nombre du jour (3) :** un nombre par séance.

Calcul mental

- S1 : demander le triple de 4 nombres. CM1 15 – 25 – 50 – 150 CM2 24 – 25 – 125 – 250
- S2-S3 : **Mini-fichier Calculus :** fiches 9 et 10.
- S4 : additionner un nombre entier < 10 à un nombre décimal : CM1 en dixièmes CM2 **en centièmes.**

Résolution de problèmes

- Afficher au tableau un problème et le lire (choisir un énoncé et une typologie selon les besoins des élèves). Vous affichez un schéma avec les données pour résoudre les problèmes (par exemple résolution en barres, par ensemble, etc.) et vous leur demandez de finir le problème (il reste à transformer cette schématisation en calcul) en binômes (3 minutes). Correction collective.

Apprentissage

4 ateliers à mettre en place, à faire tourner sur les 4 séances.
En CM1, deux ateliers sont consacrés au travail sur la découverte des nombres décimaux.

Atelier 1

- Relire la **Leçon 6** sur le cercle, puis **Mini-Fichier Circulo.**

Atelier 2

- Relire la **Leçon 10** sur les multiples et les diviseurs. Dans le cahier, donner deux multiples > 100 des nombres suivants : 24 – 50 – 60.
- **Jeu Les nombres en chaine**
- **Fiche Tickets de caisse**
Donner les deux premiers tickets de caisse. Chercher le total en binômes. Mise en commun et synthèse. Puis ils font les deux suivants. Les deux derniers ne sont donnés qu'en cas de réussite aux précédents.
Ils vérifient leurs résultats à la calculatrice.

Atelier 3

- **Livre des mesures**

Atelier 4

- **Fiche Fractions et Legos**
Compléter les fractions avec le matériel à disposition.
Une fiche en complément est proposée si celle-ci est très bien réussie par les élèves
- **Fiche Modèles cubes**
Reconstituer le modèle en 3D en binômes à partir des images et du matériel proposé (Legos, cubes en bois…).
- **Mini-Fichier Problèmes**

Régulation

- Pour construire cette séance, vous pouvez :
- faire un retour sur les devoirs ;
- prévoir un temps de calcul mental : revoir les procédures (× 10, × 100, +/– 99…) ;
- organiser différents ateliers. Par exemple :
  - avancer le livre des mesures ;
  - en CM1, reprendre l'introduction des nombres décimaux ;
  - utiliser des outils numériques en ateliers pour étudier une notion sous un autre aspect ;
  - reprendre les techniques de tracés en géométrie ou travailler sur le module arts et géométrie.

Activités ritualisées

- **Conversions de durées** (× 4)

Exemples : 72 min → 1 h 12 min – 84 secondes → 1 min 24 s…

- **Conversions** de L vers cL ou mL. (× 4)

Calcul mental

- **Mini-Fichier Calculus**

Fiches 11 et 12 en temps limité avec correction collective après chaque fiche.

Résolution de problèmes

- **Problème oral**

CM1

« J'ai pris le train à 18h. Le trajet dure ***2 h 10****. Il va s'arrêter quatre fois avant d'arriver. Chaque arrêt dure 3 minutes À quelle heure vais-je arriver ? »*

Recherche individuelle. Correction collective.

CM2

« J'ai pris le train à 18h. Le trajet dure ***145 minutes****. Il va s'arrêter quatre fois avant d'arriver. Chaque arrêt dure 3 minutes. À quelle heure vais-je arriver ? »*

Apprentissage

- **Fiche Métro :** présentation, explicitation puis recherche individuelle. Correction collective.
- Jouer collectivement au **Jeu La guerre des champs**.

Partie en binômes : deux contre deux pour assimiler les règles.

MODULE 14 SÉANCE 7

Activités ritualisées

- Tracer à main levée sur l'ardoise ou dans le cahier :
- un triangle équilatéral ;
- un triangle rectangle ;
- CM1 un carré CM2 un losange.

Demander à chaque fois la nature des angles de chaque figure.

CM1

- **Quel est l'intrus ?**

7	9
14	21

Les multiples de 7, les nombres pairs/impairs, etc.

CM2

- **Quel est l'intrus ?**

36	63
72	84

36 est le seul carré (6×6) ; 63 est le seul impair ; la somme des chiffres de 84 ne fait pas 9.

Calcul mental

- **Chronomath 7**

Résolution de problèmes

- **Mini-fichier Problèmes**

Recherche individuelle (5 minutes). Passer dans les rangs, aider, corriger, valider.

Apprentissage

- **Comparer des angles**

Donner les **Fiches Tangram.** Demander de marquer :
- en rouge : au moins 4 angles droits ;
- en vert : au moins 4 angles aigus ;
- en bleu : au moins 2 angles obtus.

Correction individuelle.

- **Mini-Fichier Calculs d'aires**

- **Comparer des angles**

Donner les **Fiches Tangram.** Sur la fiche de travail avec le gabarit d'angle, demander si c'est un angle aigu ou obtus.
Avec le gabarit, comparer les angles du tangram et les classer dans le tableau : faire un exemple avec eux en faisant attention à la lecture du nom des angles !

- **Mini-Fichier Calculs d'aires**

Notes personnelles

MODULE

15

6 SÉANCES

Objectifs majeurs du module

CM1

- Les fractions
- La programmation
- Les programmes de construction

CM2

- Les nombres décimaux
- La programmation
- Les programmes de construction

Matériel

CM1

- **Fiche** Exercices multiples

- **Fiche** QCM Calcul mental

- **Fiche** Modèles cubes
- **Fiches** DEVOIRS Cible

- **Mini-fichier** Circulo

- **Mini-fichier** Ville au trésor

- **Mini-fichier** Problèmes

- **Leçon** 16

- **Jeux** La cible, les nombres en chaine

CM2

- **Fiche** Exercices multiples

- **Fiche** QCM Calcul mental

- **Fiche** Programmes de construction

- **Fiches** DEVOIRS Cible

- **Mini-fichier** Pays au trésor

- **Mini-fichier** Problèmes

- **Leçon** 16

- **Jeux** La cible, les nombres en chaine

Devoirs

CM1

- **Pour la séance 1 :** fabriquer la table de 25.
- **Pour la séance 2 :** Fiche DEVOIRS (1).
- **Pour la séance 3 :** Fiche DEVOIRS (2).
- **Pour la séance 4 :** lire la Leçon 16.
- **Pour la séance 5 :** Fiche DEVOIRS (3).
- **Pour la séance 6 :** Fiche DEVOIRS (4).

CM2

- **Pour la séance 1 :** fabriquer la table de 50.
- **Pour la séance 2 :** Fiche DEVOIRS (1).
- **Pour la séance 3 :** Fiche DEVOIRS (2).
- **Pour la séance 4 :** lire la Leçon 16.
- **Pour la séance 5 :** Fiche DEVOIRS (3).
- **Pour la séance 6 :** Fiche DEVOIRS (4).

MODULE 15

CE QU'IL FAUT SAVOIR

Le codage / la programmation

La programmation fait partie du programme de cycle 3 (compétences EG2 et EG3, cf. p. 12). Sur ce plan, vous avez une liberté : vous choisirez vous-même vos outils, car cela dépend de ce que les élèves ont fait avant, de votre matériel, de votre appétence, de la programmation avec le collège.

Il existe de nombreuses ressources qui s'adapteront à vos moyens en outils numériques. On peut aussi travailler ces compétences sans matériel au besoin. Des propositions sont faites sur le site.

Coder/programmer
https://methodeheuristique.com/page-2/coder-programmer/

Quatre temps y seront consacrés aux modules 15, 17, 19 et 22. Les activités pourront être poursuivies en régulation, voire à la maison.

Les mini-fichiers Calculus

À partir de ce module, vous pouvez proposer ces mini-fichiers en régulation ou à d'autres moments. Ils avanceront alors à leur rythme dans les activités.

Le géoplan

Vous pouvez utiliser un géoplan pour placer les élèves en situation de recherche en géométrie. Cela pourrait faire l'objet d'un atelier en séance de régulation.

Le géoplan (1)
https://methodeheuristique.com/page-2/geometrie-le-geoplan/

Voici le type de consignes qu'on peut donner à des élèves de CM :
- trace un polygone qui possède au moins 2 angles obtus et 2 angles aigus ;
- trace un pentagone avec deux angles droits ;
- trace un polygone de 7 côtés.

Le géoplan (2)
http://seduc.csdecou.qc.ca/3-au-quotidien/files/2015/06/Atelier-g%C3%A9oplan-ipad.pdf

MODULE 15

SÉANCES 1 À 4

Activités ritualisées

- S1-S3 : **dictée de nombres décimaux** (× 4)

CM1 Les élèves donnent l'écriture décimale.
CM2 Les élèves donnent l'écriture sous la forme d'un entier + fraction décimale.

- S2-S4 : **conversions** (× 4)

Faire des conversions entre L, dL, cL, mL dans les deux sens.

Calcul mental

- **Entrainement aux divisions** du type 25 : 4. Donner le résultat sous la forme $25 = 4 \times 6 + 1$.

S1 : faire un exemple avec eux. Montrer que l'on se rapproche d'un résultat des tables et qu'on cherche alors le quotient et le reste. Réessayer avec 19 : 3.
S2 à S4 : faire trois divisions par séance (avec reste de 1 pour CM1 et 2 ou 3 pour CM2).

- S1 : interroger sur la table de 11 en CM1 et de 12 en CM2.
- S2 : interroger sur les multiples de 25 en CM1 et de 50 en CM2.
- S3 : lecture de la **Leçon 16**.
- S4 : interrogation sur la **Leçon 16**.

Apprentissage

4 ateliers à mettre en place, à faire tourner sur les 4 séances.

Atelier 1

- Activité de programmation.

Atelier 2

- **Fiche Exercices multiples** en binômes
- **Jeu Les nombres en chaine**

Atelier 3

- **Fiche Modèles cubes**

Reconstituer le modèle en 3D en binômes à partir des deux images et du matériel proposé (Legos, cubes en bois…).

- **Mini-Fichier Problèmes**

- **Mini-Fichier Problèmes** ou **boite à énigmes** selon les besoins des élèves.

Atelier 4

- **Jeu de la cible**

Faire trois parties. Vous choisissez les zones et les valeurs à trouver selon les besoins des élèves.

MODULE 15 SÉANCE 5

Régulation

- Pour construire cette séance, vous pouvez par exemple :
- prévoir un temps de calcul mental de 10 minutes ;
- organiser différents ateliers. Par exemple :
  - un atelier sur la programmation ; il est souvent nécessaire de travailler en ateliers au regard du matériel nécessaire. Ce travail sur la programmation peut évidemment s'inscrire dans un projet interdisciplinaire plus large :
  - un atelier sur la boite à énigmes ;
  - un atelier pour travailler sur les nombres : la compréhension des fractions en CM1 ou des décimaux en CM2. Pour cela, vous pouvez reprendre les livrets ou travailler sur des documents faisant le lien avec l'Histoire (les Égyptiens et le partage de champs pour les fractions, le texte sur la Disme de Simon Stevin pour les décimaux ;
  - un atelier autour des grandeurs et mesures avec la réalisation de la recette de la pâte à modeler (module 17), travail de pavage d'une surface (cf. Escher), voire en interdisciplinarité un travail sur l'art (les proportions en architecture, la règle des « un tiers » en peinture, etc.).

Les décimaux
https://huit.re/stevin

MODULE 15 SÉANCE 6

Activités ritualisées

- **Dictée de nombres décimaux** sous la forme $2{,}4 = 2 + \frac{4}{10}$. (× 5)
CM1 dixièmes CM2 millièmes.

Calcul mental

- **Ordre de grandeur :** rappeler ce qu'est un ordre de grandeur sur un exemple : 39 + 159.
Ils cherchent un ordre de grandeur de 59 × 6 en CM1 et de 2 358 × 102 en CM2.
Faire un autre exemple puis une synthèse. Rappeler que l'ordre de grandeur permet de contrôler un calcul.

- Faire la **Fiche QCM Calcul mental** avec 30 secondes par calcul *(vidéoprojeté ou reproduit au tableau).*
Il ne faut pas qu'ils calculent, mais qu'ils choisissent la bonne solution par ordre de grandeur.

Apprentissage

- **Mini-Fichier Circulo**
Faire une fiche.

- **Mini-Fichier La ville au trésor**

- **Fiche Programmes de construction**
Séparer les élèves en deux groupes : le groupe A et le groupe B. Ils doivent écrire le programme de construction correspondant à leur figure avec les aides proposées.
Puis ils donnent le programme à un élève de l'autre groupe qui reproduit la figure d'après le programme. On compare au résultat attendu.

- **Mini-fichier Le pays au trésor**

MODULE 16

5 SÉANCES

Objectifs majeurs du module

CM1

- Les nombres décimaux
- Les triangles
- La résolution de problèmes

CM2

- Les nombres décimaux
- Les triangles
- La résolution de problèmes

Matériel

CM1

- **Chronomath** 8
- **Rallye maths** manche 3

- **Fiche** Tangram

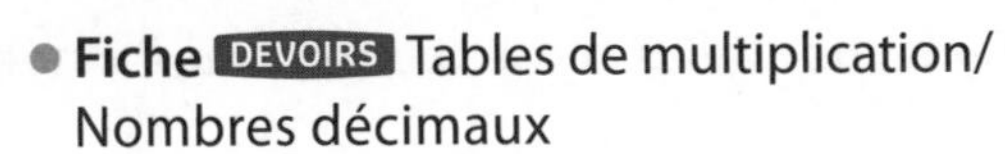

- **Fiche** DEVOIRS Tables de multiplication/ Nombres décimaux

- **Leçons** 3, 17 et 18
- **Jeu** Dépasse pas 1

CM2

- **Chronomath** 8
- **Rallye maths** manche 3
- **Fiche** DEVOIRS Tables de multiplication/ Nombres décimaux
- **Mini-fichier** Pays au trésor
- **Mini-fichier** Décimaux
- **Leçons** 3, 17 et 18
- **Jeu** Dépasse pas 1

Devoirs

CM1

- **Pour la séance 1 :** relire la Leçon 3.
- **Pour la séance 3 :** Fiche DEVOIRS 1.
- **Pour la séance 4 :** Fiche DEVOIRS 2.
- **Pour la séance 5 :** apprendre la Leçon 18 et chercher trois exemples de nombres décimaux dans la vie quotidienne.

CM2

- **Pour la séance 1 :** relire la Leçon 3.
- **Pour la séance 3 :** Fiche DEVOIRS 1.
- **Pour la séance 4 :** Fiche DEVOIRS 2.
- **Pour la séance 5 :** apprendre la Leçon 18 et chercher trois exemples de nombres décimaux dans la vie quotidienne.

CE QU'IL FAUT SAVOIR

La promenade mathématique

L'année étant bien avancée, on peut mettre en place une promenade mathématique. Cette sortie (qui doit donc être vécue et comptée comme telle) est un projet complémentaire, sans obligation, mais très efficace et utile. Il s'agit de faire prendre conscience aux élèves de la présence des mathématiques dans l'environnement quotidien.

1. La sortie

- Annoncer l'objectif de la promenade : *« Nous allons prendre des photos, garder une trace de tout ce qui nous semble mathématique autour de nous. »*
- Se promener dans le village, la ville, avec appareils photo et matériel pour dessiner. La promenade doit durer entre 30 minutes et 1 heure pour récolter suffisamment de matériel.
- Pendant la promenade, demander aux élèves de justifier en quoi ce qu'ils photographient ou dessinent est mathématique pour eux. On étayera pour les aider à percevoir ce qui est géométrique (la forme des rues, les panneaux…), ce qui relève de la mesure (la vitesse ou les distances sur des panneaux, une horloge, un distributeur d'argent…), de la numération (les numéros des rues, les plaques d'immatriculation…).

2. Le retour en classe

- Afficher ou montrer les photos pour une discussion collective. Faire verbaliser avec les élèves les termes mathématiques. Ils se mettent en groupes et créent une affiche pour mettre en lien ce qu'ils ont découvert (classement, catégorisation, commentaires…).
- Commenter les affiches en allant plus loin :
  - distinction entre *chiffre*, *nombre* et *numéro* (plaque d'immatriculation) ;
  - distinction entre nombre pour nommer (dates sur une plaque de rue) ou pour compter (distance sur un panneau) ou pour mesurer… ;
  - lien entre la forme des panneaux et leur signification.
- Faire une synthèse. Leur proposer d'ajouter de nouvelles choses au cours de l'année.

Le jeu Dépasse pas 1

Ce jeu permet de travailler l'addition de décimaux. Il se place dans la continuité de précédents jeux du cycle 2 (Dépasse pas 30, Dépasse pas 100). On retrouve le même principe d'ajouts de valeurs pour ne pas dépasser un score donné.

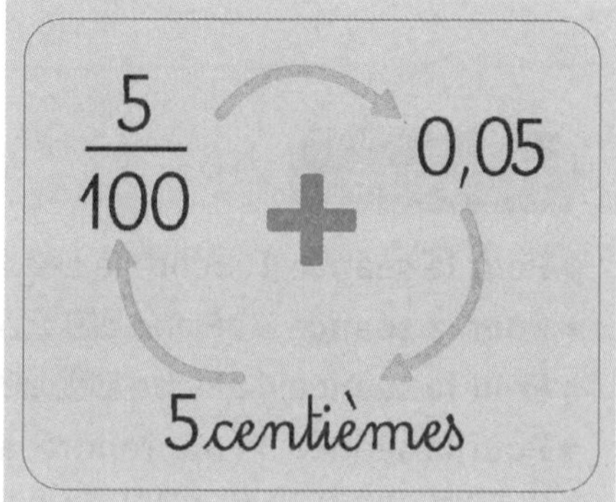

Sur les cartes figurent les différentes représentations d'un même nombre.

Le jeu est parfois difficile au début. Vous pouvez alors aider les élèves de deux façons :
- noter le résultat en cours sur une ardoise ;
- autoriser l'utilisation de la calculatrice pour vérifier le résultat ;
- proposer les cartons-nombres avec les parties décimales.

Il sera très utile en séance de régulation.

MODULE 16

SÉANCE 1

Activités ritualisées

CM1

Géométrie mentale

Dessiner à main levée (ardoise ou feuille blanche) des figures géométriques : segment, droite, carré, losange et les différents triangles.

Poser une question par figure dessinée (faire le point sur le vocabulaire et les propriétés).

CM2

Géométrie mentale

Dessiner à main levée un losange. Tracer les diagonales. Interroger sur la façon dont elles devraient se couper (*à angle droit*). Identifier les triangles contenus dans cette figure et leur nature (*des triangles rectangles et isocèles*).

Résolution de problèmes

Problème oral

« La maison des Martin est rectangulaire. Elle fait ***9 m*** *de long sur* ***6 m*** *de large. M. Martin a acheté* ***25 m*** *de gouttière. A-t-il assez de gouttière pour faire le tour de sa maison ? »*

Recherche individuelle (sans calculatrice) ; correction collective.

Problème oral

« La maison des Martin est rectangulaire. Elle fait ***11,5 m*** *de long sur* ***8,4 m*** *de large. M. Martin a acheté* ***35 m*** *de gouttière. A-t-il assez de gouttière pour faire le tour de sa maison ? »*

Recherche individuelle (sans calculatrice) ; correction collective.

Apprentissage

Le tangram

Donner à chaque élève le petit triangle d'un vrai tangram ainsi que la **Fiche Tangram** : ils répondent aux questions en binômes.

- Lecture individuelle de la **Leçon 17** sur la méthode pour tracer un triangle et visionnage des vidéos.

Dans le cahier, tracer les triangles suivants :

Triangle ABC :
AB = 6 cm, AC = 6 cm et BC = 6 cm

Triangle DEF :
DE = 4 cm, DF = 7 cm et FE = 9 cm

Triangle IJK :
IJ = 6 cm, JK = 8 cm et IK = 10 cm

Écrire dessous le nom de chaque triangle.

- **Mini-Fichier Le pays au trésor**

SÉANCE 2

Activités ritualisées

CM1

- Écrire une fraction décimale sous la forme d'un nombre décimal. (× 3)

Exemple : $\frac{23}{10} \rightarrow 2{,}3$

- Donner des décimaux à comparer en dixièmes (< ou >). (× 3)

CM2

- Écrire une fraction décimale sous la forme d'un nombre décimal et sous la forme décomposée (entier + fraction décimale). (× 3)
- Donner des décimaux à comparer jusqu'aux millièmes (< ou >). (× 3)

Calcul mental

- Addition d'un entier et d'un décimal (au dixième en CM1, centième en CM2). (× 5)
- Découverte collective du **Jeu Dépasse pas 1**.

Résolution de problèmes

- **Problème oral**

« Léa mesure 1 m 45. Elle mesure 27 cm de moins que son père et 12 cm de plus que son petit frère. Combien mesure chaque membre de la famille ? »

Recherche individuelle. Aide à la schématisation. Correction collective.

Apprentissage

- **Construction d'un triangle**

Demander de construire sur feuille blanche un triangle ABC répondant aux critères suivants :

AB = 6 cm, BC = 7 cm et AC = 8 cm

Confronter les procédures et établir collectivement la procédure. Vous construisez le triangle et ils font ensuite, étape par étape.

« On trace en commençant par le segment de notre choix, puis on utilise le compas. »

Prendre le temps de bien expliquer la démarche.

Donner la **Leçon 17** sur la méthode pour tracer un triangle.

Demander de recommencer sur deux autres triangles :

Triangle DEF :
DE = 4 cm, DF = 7 cm et DE = 9 cm

Triangle IJK :
IJ = 3 cm, JK = 5 cm et IK = 6 cm

- **Jeu Dépasse pas 1**

- **Entrainement aux additions/soustractions de décimaux**

Demander systématiquement un ordre de grandeur avant l'opération posée.

Vérification à la calculatrice.

Proposer des opérations différenciées selon les capacités des élèves.

Ils avancent à leur rythme sur le temps dont vous disposez.

- **Jeu Dépasse pas 1**

Activités ritualisées

- Énoncer des grands nombres (> million en CM1, > milliard en CM2). Les élèves les écrivent à l'ardoise, les décomposent, puis indiquent le nombre de milliers. Puis, ils les écrivent en ordre décroissant. (× 3)

Résolution de problèmes

- **Rallye maths :** manche 3.

Activités ritualisées

- Écrire des fractions décimales sous différentes formes (CM1 en dixièmes). (× 3)

Exemple : $\frac{23}{10} \rightarrow 2{,}3$

Calcul mental

- **Chronomath 8 :** rappeler la stratégie : « je lis le calcul, si je sais le faire je le fais, sinon je passe au suivant… »

Résolution de problèmes

CM1

- **Problème oral**

« Papa pèse deux fois plus que moi et moi je pèse quatre fois plus que Lucie, ma petite sœur, qui fait 9 kg. Combien pèse chaque personne ? »

Recherche individuelle. Aide à la schématisation. Correction collective.

CM2

- **Problème oral**

« Papa pèse deux fois plus que son fils aîné qui lui-même pèse trois plus que son petit frère ; sachant que papa pèse 72 kg, combien pèse chaque enfant ? »

Recherche individuelle. Aide à la schématisation. Correction collective.

Apprentissage

- Lecture de la **Leçon 18** sur les nombres décimaux. Faire le lien avec le livret « Histoire d'un juge » et prendre le temps sur l'introduction des centièmes. Revoir le lien fractions décimales/nombres décimaux sur quelques exemples.
- **Jeu Dépasse pas 1**

- Lecture de la **Leçon 18** sur les nombres décimaux.
- **Mini-Fichier Décimaux**
Compléter deux fiches.
- **Jeu Dépasse pas 1**

Régulation

● Pour construire cette séance, deux temps à prévoir.

1. La **correction du rallye** conformément aux consignes données précédemment.

2. Un temps de travail que vous définirez autour des priorités suivantes :

– le projet sur la programmation, avec des temps d'écrits pour formaliser ce travail ;

– la résolution de problèmes et sa méthodologie, notamment sur les problèmes de mesure (le projet « M@ths-en-vie » peut être un excellent support) ;

– la compréhension des nombres décimaux.

Notes personnelles

MODULE 17

5 SÉANCES

Objectifs majeurs du module

CM1

- Évaluation
- Les solides

CM2

- Évaluation
- Les solides

Matériel

CM1

- **Fiche** *Rituel* Le nombre décimal du jour (1)

- **Fiches** Solides : matériel, cartes d'identité

- **Leçons** 16 et 17

- **Jeux** La bataille navale, la guerre des champs, dépasse pas 1

CM2

- **Fiche** *Rituel* Le nombre décimal du jour (2)

- **Fiches** Solides : matériel, cartes d'identité

- **Leçons** 16 et 17

- **Jeux** La bataille navale, la guerre des champs, dépasse pas 1

Devoirs

CM1

- **Pour la séance 2 :** revoir la Leçon 16.
- **Pour la séance 3 :** compléter deux chèques en lettres.
  (*Varier les valeurs chiffrées selon les élèves, jusqu'au million*).
- **Pour la séance 4 :** apprendre la Leçon 17 et tracer un triangle de dimensions 3, 4 et 5 cm.
- **Pour la séance 5 :** revoir les tables de multiplication.

CM2

- **Pour la séance 2 :** revoir la Leçon 16.
- **Pour la séance 3 :** compléter deux chèques en lettres.
  (*Varier les valeurs chiffrées selon les élèves, nombres décimaux*).
- **Pour la séance 4 :** apprendre la Leçon 17 et tracer un triangle de dimensions 4,5 cm, 6 cm et 7,5 cm.
- **Pour la séance 5 :** revoir les tables de multiplication.

Les solides

Cette activité est proposée chaque année dans la méthode, du CP au CM2. L'intérêt de la refaire chaque année est de réactiver la mémoire dans une mise en œuvre dynamique et rapide.

La variable didactique pour les CM se situe dans le choix de spaghettis : c'est un outil qui va nécessairement se casser. Pour réaliser le cube ou le pavé ils vont donc devoir adapter la taille des arêtes choisies et surtout veiller à ce qu'elles aient la même longueur (ils pourront faire un étalon ou mesurer à la règle avant de casser les spaghettis).

Pour la pâte à modeler, je suggère de la faire fabriquer en amont par les élèves. Au-delà de l'aspect ludique, c'est aussi un travail sur la mesure, car la recette est volontairement proposée aux CM dans des quantités insuffisantes (il s'agit donc d'un travail de proportionnalité et de mesures).

Activités ritualisées

- Interroger à l'ardoise, sous forme de devinettes :
- le vocabulaire géométrique : *sommets, segment…* ;
- les propriétés des figures connues : différents triangles, carré, losange, rectangle.

Différencier selon les CM1 *ou* CM2. (× 3)

Calcul mental

CM1

- Multiplier par 11 un nombre à deux chiffres.

Donner 24 × 11, recherche du résultat, confrontation des procédures. Les aider à faire émerger : 24 × 11 = 24 × 10 + 24 × 1, en repassant par la multiplication comme produit de mesures. On voit alors que cela fait 264 et que 6 est la somme de 2 et 4.
Recommencer avec : 35 × 1 = 385.
S'entrainer avec trois nombres.
Cela pourra donner lieu à la création collective d'une affiche.

CM2

- Multiplier par 50 un nombre à deux chiffres.

Donner 24 × 50, recherche du résultat, confrontation des procédures. Les aider à faire émerger : 24 × 50 = (24 × 100) : 2.
S'entrainer avec trois nombres.
Cela pourra donner lieu à la création collective d'une affiche.

Apprentissage

- **Les solides**

Présenter aux élèves des solides : emballages de boites, conserves, etc.
Demander les noms des solides et les classer (travail collectif, oralement) en deux catégories : ceux qui roulent et ceux qui ne roulent pas.
Cela doit être rapide, c'est un rappel de cycle 2…
Donner aux élèves le matériel (ils travaillent en binômes ou trinômes) : de la pâte à modeler et des spaghettis.
Donner les **Fiches Solides**.
La consigne est de fabriquer les solides de la fiche et ensuite, quand vous validez la construction, de compléter la carte d'identité. Pour l'illustration, soit ils dessinent à main levée, soit au crayon, soit ils prennent une photo.
S'il reste du temps après avoir fait les trois solides, ils peuvent en créer un avec de très nombreuses faces.

- **Jeu La guerre des champs**

MODULE 17 SÉANCES 2 À 4

Activités ritualisées

- **Fiche *Rituel* Le nombre décimal du jour**
Adapter le nombre : CM1 jusqu'aux centièmes, CM2 jusqu'aux millièmes.

Calcul mental

- S2 : **Fiche Suivi des tables :** reprendre la fiche du module 9 (5 minutes).

CM1

- S3 : interroger les tables de 11 et de 25. (× 10)
- S4 : multiplier un nombre par 11. (× 5)

CM2

- S3 : interroger les tables de 12 et de 50. (× 10)
- S4 : multiplier un nombre par 50. (× 5)

Apprentissage

- Organiser les trois séances pour avoir le temps de compléter les activités suivantes :
- découverte collective du **Jeu La bataille navale** et prendre le temps de jouer deux parties ;
- évaluations ;
- temps de travail sur la programmation.

MODULE 17 SÉANCE 5

Régulation

- Propositions pour cette séance :
- faire un temps de calcul mental de 10 minutes pour revoir des procédures déjà vues ;
- prévoir un temps de 50 minutes pour :
  - finir les évaluations ;
  - faire de la résolution de problèmes ;
  - jouer aux jeux de **la guerre des champs**, **dépasse pas 1** et de **la bataille navale**

MODULE

18

5 SÉANCES

Objectifs majeurs du module

CM1

- Les décimaux
- Les valeurs approchées
- La symétrie

CM2

- Les décimaux
- Les valeurs approchées
- La symétrie

Matériel

CM1

- **Fiche** *Rituel* Angles
- **Fiche** *Rituel* Droites

- **Fiche** Exercices symétrie
- **Fiches** DEVOIRS Symétrie

- **Mini-fichier** Problèmes

- **Mini-fichier** Ville au trésor

- **Leçons** 18 et 19

CM2

- **Fiche** *Rituel* Angles
- **Fiche** *Rituel* Droites
- **Fiche** Exercices symétrie
- **Fiche** Exercices pourcentages
- **Fiches** Graphiques
- **Fiches** DEVOIRS Symétrie

- **Mini-fichier** Pays au trésor

- **Leçons** 18 et 19

Devoirs

CM1

- **Pour la séance 2 :** Fiches DEVOIRS Symétrie 1 et 2.
- **Pour la séance 3 :** Fiches DEVOIRS Symétrie 3 et 4.
- **Pour la séance 4 :** relire la Leçon 14 et tracer un triangle équilatéral de côté 7 cm.
- **Pour la séance 5 :** relire la Leçon 18 et tracer un triangle de côté 5, 7 et 11 cm.

CM2

- **Pour la séance 2 :** Fiches DEVOIRS Symétrie 1 et 2.
- **Pour la séance 3 :** Fiches DEVOIRS Symétrie 3 et 4.
- **Pour la séance 4 :** relire la Leçon 14 et tracer un triangle équilatéral de côté 6,5 cm.
- **Pour la séance 5 :** s'entrainer à calculer 50 % de dix nombres choisis au hasard.

MODULE 18

CE QU'IL FAUT SAVOIR

Les valeurs approchées, les arrondis…

Dans les classes de CM, on va commencer à découvrir ces notions qui seront approfondies en 6e. Enseigner ces notions nécessite d'en avoir une définition précise.

- Une valeur approchée d'un nombre est une **valeur approximative** de ce nombre. On peut demander la valeur approchée à l'unité, au dixième, au centième près…
- La valeur approchée à l'unité par défaut d'un nombre décimal est le nombre décimal n'ayant pas de virgule. C'est la **troncature à l'unité** de ce nombre.
- La valeur approchée à l'unité par excès d'un nombre décimal est le nombre sans virgule immédiatement supérieur à ce nombre décimal.
- Un **arrondi** d'un nombre est une valeur approchée de ce nombre obtenue à partir de son développement décimal, en réduisant le nombre de chiffres significatifs.
  Exemple : 53 est arrondi à la dizaine la plus proche : 50, car 53 est plus proche de 50 que de 60.

Faire l'arrondi à l'unité, au dixième, au centième… d'un nombre décimal, c'est couper au rang indiqué, puis :
- si le chiffre qui suit est 5, 6, 7, 8 ou 9, on augmente de 1 le dernier chiffre du nombre coupé ;
- si le chiffre qui suit est 0, 1, 2, 3 ou 4, on garde le nombre coupé.

Les pourcentages CM2

Dans ce module, on démarre un travail sur les pourcentages. Dans la programmation sur le cycle 3, cette notion est abordée en CM2 et sera à retravailler en 6e. Les exercices sont basés sur 25 % et 50 %, mais, selon le niveau des élèves, vous pourrez proposer de calculer 10 % et 75 % dès qu'ils en seront capables.

La symétrie

Le travail sur la symétrie a déjà fait l'objet d'une découverte conceptuelle en cycle 2. Le travail au cycle 3 s'axera davantage sur les points difficiles : le tracé, les figures qui coupent l'axe de symétrie…

Il n'y a pas de leçon prévue sur la symétrie mais vous pouvez en créer une, ou faire un affichage si vous en ressentez la nécessité.

Les maths et l'Histoire

Et si vous preniez un temps en Histoire pour travailler sur les mathématiques au Moyen Âge ? Voici deux liens qui devraient vous intéresser.

Les mathématiques au temps des châteaux forts

http://www.huit.re/maths-guedelon

MODULE

18 SÉANCES 1 ET 2

Activités ritualisées

CM1

S1

- *« Comment écrire 1 sous la forme de demis ? de tiers ? Comment écrire 3 sous la forme de demis, de tiers ? »* Pour les aider, dessiner un cercle au tableau et faire avec eux le premier exemple.
- Écrire $1 + \frac{1}{2}$ sous forme d'une fraction en demis, puis $3 + \frac{1}{3}$ sous forme de tiers *(avec une droite graduée pour s'aider).*

S2

- **Dictée de grands nombres**, puis les écrire dans l'ordre croissant.
- Encadrer des nombres décimaux entre les entiers. (× 3) Exemple : 0,25 entre 0 et 1
Utiliser la droite graduée pour visualiser.

CM2

S1

- *« Comment écrire 1 sous la forme de dixièmes ? de millièmes ? Coment écrire 3 sous la forme de centièmes ? »*
- Écrire $1 + \frac{3}{2}$ sous forme d'une fraction en demis, puis $3 + \frac{4}{3}$ sous forme de tiers (*avec une droite graduée pour s'aider*).

S2

- *« Combien de fois y a-t-il 0,1 dans 1 ? 0,2 dans 1 ? 0,5 dans 10 ? »*
- Encadrer des nombres décimaux entre les entiers. (× 3) Exemple : 1,75 entre 1 et 2
Utiliser la droite graduée pour visualiser.

Calcul mental

CM1

- S1 : **valeurs approchées**
Écrire les calculs et les trois réponses possibles. Ils doivent choisir une réponse sans faire le calcul exact.
Expliquer la procédure.
555 – 167 → **a.** 388 **b.** 288 **c.** 188
306 – 98 → **a.** 108 **b.** 208 **c.** 158
- S2 : trouver la moitié de nombres < 1 000. (× 4)
Expliciter le lien entre le calcul de la moitié et le calcul de 50 %.

CM2

- S1 : **valeurs approchées**
Écrire le calcul et les trois réponses possibles. Ils doivent choisir une réponse sans faire le calcul exact.
Expliquer la procédure.
320 × 13 → **a.** 6 933 **b.** 4 160 **c.** 2 993
535 × 22 → **a.** 11 770 **b.** 20 880 **c.** 9 550
- S2 : calculer 50 % de nombres < 1 000. (× 4)

Résolution de problèmes

- **Mini-fichier Problèmes**

Apprentissage

● S1 Lire la **leçon 19** sur la multiplication par 10, 100, 1 000.
Donner une dizaine de multiplications à calculer dans le cahier (nombre entier et décimaux).
Utiliser le glisse-nombres pour que les élèves formalisent la procédure.

● S1 **Fiche Exercices pourcentages**
Demander ce qu'est un pourcentage, où on les trouve, *(soldes, composition des aliments, etc.)*, comment ça s'écrit. Faire une affiche puis annoncer qu'on va chercher comment calculer le pourcentage d'un prix.
Puis compléter la fiche collectivement et s'entrainer à calculer des pourcentages de différents nombres entiers.

S2

● Rappel de ce qu'est un *arrondi*. Donner un arrondi de 195 et de 1 459, puis expliquer comment on peut donner un ordre de grandeur de 195 × 19 (*200 × 20 = 4 000*).

● Multiplications en CM1 et divisions en CM2. Dans un premier temps, ils donnent un ordre de grandeur du résultat, puis ils posent l'opération, la vérifient à la calculatrice et valident leur ordre de grandeur.

Notes personnelles

MODULE 18

SÉANCES 3 ET 4

Activités ritualisées

● S3 : **Fiche *Rituel* Angles**
Demander aux élèves de colorier : un angle droit en rouge, deux angles aigus en bleu, deux angles obtus en vert. Correction collective.

● S4 : **Fiche *Rituel* Droites**
Afficher (ou reproduire au tableau) le document. À l'ardoise, ils doivent écrire successivement : deux couples de droites perpendiculaires, deux couples de droites parallèles. Correction collective.

Calcul mental

CM1

● S3 : **Fiche Suivi des tables** (▶ voir module 9)

● S4 : multiplier par 10, 100 des nombres décimaux. (× 5)

● Donner une valeur approchée à la dizaine près des opérations suivantes.

S3 : 9 × 39

S4 : 21 × 150

CM2

● **S3 :** calculer 340 : 10.
Confronter les procédures Puis s'entrainer sur cinq nombres. Faire le lien avec le glisse nombres.

● S4 : recommencer avec la division par 100, 1 000.

● Donner une valeur approchée à la dizaine près des opérations suivantes.

S3 : 49 × 49 × 2

S4 : 197 × 3 103

Résolution de problèmes

● **Mini-fichier Problèmes**
Résoudre au moins un problème.

● S3 : **Fiche Graphique 1** sur l'alimentation du renard
Commentaire global sur le graphique, puis poser deux questions sur le graphique.

● S4 : **Fiche Graphique 2** sur les villes françaises
Commentaire global sur le graphique puis poser trois questions sur le graphique.

Apprentissage

S3

● Correction des **Fiches** DEVOIRS et rappel de ce qu'est la symétrie, puis **Fiche Exercices symétrie**.

S4

● Revoir collectivement la procédure pour construire un triangle : reproduire sur feuille blanche ou dans le cahier un triangle équilatéral de 8 cm de côté. Chercher ses axes de symétrie.

● **Mini-fichier Ville au trésor**

S4

● Lecture de la **Leçon 19** multiplier/diviser par 10, 100…, puis donner cinq multiplications et cinq divisions au tableau, à copier et à calculer dans le cahier.

● **Mini-fichier Pays au trésor**

Régulation

● Pour construire cette séance, vous pouvez par exemple :
- faire un retour sur les devoirs ;
- prévoir un temps de calcul mental avec les fiches de suivi des tables et les pourcentages en CM2 ;
- organiser différents ateliers. Par exemple :
  - finir/enrichir le livre des mesures ou tout autre projet autour des grandeurs et mesures ;
  - prévoir un temps de travail sur la programmation ;
  - travailler sur problèmes à partir de M@ths-en-vie (sur des questions de mesures, de pourcentages, etc) ;
  - travailler sur le module arts et géométrie ou un projet complémentaire. Plusieurs propositions sont faites sur le site, comme les anamorphoses ou « mathématiques et Renaissance ».

Notes personnelles

MODULE 19

7 SÉANCES

Objectifs majeurs du module

CM1

- Le calcul mental
- Périmètre et aire
- La gestion de données

CM2

- Le calcul mental
- Périmètre et aire
- La gestion de données

Matériel

CM1

- **Fiche** *Rituel* Le nombre décimal du jour (1)

- **Fiche** Verres mesureurs

- **Fiche** Problème OGD

- **Fiche** Carte mentale de 2,15
- **Fiche** Fleur numérique

- **Mini-fichier** Calculs d'aires

- **Mini-fichier** Problèmes

- **Mini-fichier** Fractions
- **Leçons** 11, 16, 18, 19 et 20

- **Jeux** de la cible, dépasse pas 1, la bataille navale

CM2

- **Fiche** *Rituel* Le nombre décimal du jour (2)

- **Fiche** Verres mesureurs

- **Fiche** Problème OGD

- **Mini-fichier** Calculs d'aires
- **Mini-fichier** Problèmes

- **Mini-fichier** Décimaux

- **Leçons** 11, 16, 18, 19 et 20

- **Jeux** Dépasse pas 1, la bataille navale, la guerre des champs

Devoirs

CM1

- **Pour la séance 2 :** apprendre la Leçon 19.
- **Pour la séance 3 :** relire la Leçon 18.
- **Pour la séance 4 :** apprendre la Leçon 16.

- **Pour la séance 5 :** relire la Leçon 11 et poser deux divisions dans le cahier (nombres à trois chiffres par un nombre à un chiffre).
- **Pour la séance 7 :** dessiner un polygone à cinq côtés et indiquer la nature de ses angles.

CM2

- **Pour la séance 2 :** apprendre la Leçon 19.
- **Pour la séance 3 :** relire la Leçon 18.
- **Pour la séance 4 :** apprendre la Leçon 16.
- **Pour la séance 5 :** relire la Leçon 11 et poser deux divisions dans le cahier (nombres à quatre chiffres par un nombre à un chiffre).
- **Pour la séance 7 :** dessiner un polygone à cinq côtés et indiquer la nature de ses angles.

CE QU'IL FAUT SAVOIR

Les notions d'aire et de périmètre

Les élèves confondent souvent les notions de *périmètre*, *aire* et *volume*. Une des explications tient au fait que, dans beaucoup de manipulations, ces grandeurs croissent conjointement. Ainsi, plus un cadeau est gros (*volume*), plus il faut de papier cadeau (*aire*) et plus il faut de ruban pour l'entourer (*périmètre*). C'est une fausse intuition et il va falloir aider les élèves à prendre du recul.

Il va donc falloir travailler en cycle 3 (travail commencé en CM à approfondir en 6e) sur plusieurs types de cas :

- des aires qui varient alors que le périmètre est constant ;
- des périmètres qui varient alors que l'aire est constante ;
- un périmètre et une aire qui varient dans le même sens (comme l'intuition première) ;
- un périmètre et une aire qui varient dans le sens contraire.

Les agrandissements et les réductions de figures

Sans avoir travaillé spécifiquement sur cette notion, les élèves l'ont déjà travaillée avec le **Mini-fichier Circulo**. Faire un agrandissement ou une réduction, c'est multiplier toutes les dimensions d'une figure géométrique par un nombre donné. Si le nombre est plus grand que 1, il s'agira d'un agrandissement. S'il est plus petit que 1, ce sera une réduction. **Ce travail est directement lié au travail sur la proportionnalité.** Pour passer d'un rectangle de 4 cm de largeur à un rectangle de 6 cm de largeur, certains élèves ajoutent 2 cm aux dimensions, ce qui va poser problème pour la longueur, mais ils ne s'en rendent pas forcément compte.

On ne travaillera que sur les carrés et rectangles. En effet, pour le triangle ou le losange, le travail est plus complexe, car il ne suffit pas de multiplier chaque dimension pour conserver la même figure.

Il faudra aussi être vigilant : si j'agrandis par un facteur de 2 les dimensions d'un carré, je n'obtiens pas un carré deux fois plus grand (abus de langage fréquent faisant référence à l'aire), mais un carré quatre fois plus grand (en termes d'aire)… Pourquoi ? Cherchez, vous trouverez facilement la réponse en repassant par la formule…

MODULE 19

SÉANCES 1 ET 2

Activités ritualisées

- **Fiche *Rituel* Le nombre décimal du jour**

Calcul mental

- S1 : multiplier par 10, par 100 des nombres décimaux. (× 5)

Différencier selon le niveau.

CM1

- S2 : multiplier par 10, par 100 des nombres décimaux (jusqu'aux centièmes). (× 5)

CM2

- S2 : calculer 25 % ou 50 % de nombres < 1 000. (× 5)

Résolution de problèmes

- **Mini-fichier Problèmes :** résoudre un problème.

Apprentissage

CM1

S1

- Travailler sur l'écriture de quelques nombres décimaux sous différentes formes. Pour les élèves qui bloquent sur les centièmes, reprendre l'« Histoire du juge », le tasseau et séparer le dixième à nouveau en dix pour fabriquer les centièmes.
- **Jeu Dépasse pas 1**

S2

- **Mini-fichier Fractions**
Compléter une fiche.
- Temps de travail sur le projet de programmation.
- **Jeu La bataille navale**

CM2

S1

- **Mini-fichier Décimaux**
Compléter une fiche.
- Temps de travail sur le projet de programmation.
- **Jeu Dépasse pas 1**

S2

- S'interroger en binômes sur la table de 50 (5 minutes).
- **Mini-fichier Décimaux**
Compléter deux fiches.
- **Jeu La bataille navale**

MODULE 19 SÉANCE 3

Activités ritualisées

● **Conversions**
Faire des conversions entre L, dL, cL, mL. (× 3)
Distribuer la **Fiche Verres mesureurs**. Avec un feutre, marquer les valeurs demandées.

CM1

- Verre 1, feutre rouge : 100 mL
- Verre 2, feutre bleu : 3 dL
- Verre 3, feutre vert : 15 cL
- Verre 4, feutre orange : 250 mL

CM2

- Verre 1, feutre rouge : 125 mL
- Verre 2, feutre bleu : 2,5 dL
- Verre 3, feutre vert : 1,5 dL
- Verre 4, feutre orange : 0,3 L

Calcul mental

● Interroger les tables de 11 et de 25. (× 5).

● Multiplier par 10, 100 des nombres décimaux. (× 3)

● Calculer 50 % de nombres entiers < 100. (× 4)

● Interroger les tables de 12 et de 50. (× 5).

● Diviser par 10, 100 des nombres décimaux jusqu'aux millièmes. (× 3)

● Calculer des pourcentages de nombres entiers < 100. (× 4)

Apprentissage

● Lecture de la **Leçon 20** sur les unités de mesure.
Demander la définition de *périmètre* (à écrire à l'ardoise) puis d'*aire*.
Dessiner sur papier quadrillé (dans le cahier) :
- un rectangle de 4 carreaux de largeur et 10 carreaux de longueur ;
- un rectangle de 5 carreaux de largeur et 8 carreaux de longueur.

Pour chaque rectangle, calculer le périmètre et l'aire et comparer.
Faire une synthèse : *« on peut avoir deux figures qui ont la même aire, mais pas le même périmètre. »*

● **Mini-fichier Calculs d'aires :** ils avancent à leur rythme.

● Lecture de la **Leçon 20** sur les unités de mesure.
Trouver deux rectangles qui ont même périmètre, mais une aire différente, sur papier quadrillé (recherche en binômes).
La manipulation peut se faire à l'aide de Legos.
Il faut que la somme des longueurs et des largeurs soient les mêmes. Par exemple, 7 et 5 et 8 et 4… mais des aires différentes.

● **Mini-fichier Calculs d'aires :** ils avancent à leur rythme.

MODULE 19

SÉANCES 4 ET 5

Activités ritualisées

- **Fiche *Rituel* Le nombre décimal du jour**

Calcul mental

- S4 : interroger les tables de 25 et de 50 sous les différentes formes : *25 × 4 ou 350 : 50*. (× 5)

CM1

- S5 : **Jeu de la cible**

Trois activités au choix.
Zones : 10 – 1 – 0,1 – 0,01

CM2

- S5 : donner une valeur approchée de trois opérations (*à choisir selon les besoins*).

Résolution de problèmes

CM1

- **Problèmes à l'oral**

S4 : « *Le train part de Dijon à **11h20**. Le voyage dure* **125 min**. *À quelle heure va-t-il arriver ?* »

S5 : « *L'avion part de Paris à **9h30**. Le voyage dure **180 min**. À quelle heure va-t-il arriver ?* »
Recherche individuelle (5 minutes). Correction collective.

CM2

- **Problèmes à l'oral**

S4 : « *Le train part de Dijon à **11h55**. Le voyage dure **135 min**. À quelle heure va-t-il arriver ?* »

S5 : « *L'avion part de Paris à **9h40**. Le voyage dure **190 min**. À quelle heure va-t-il arriver ?* »
Recherche individuelle (5 minutes). Correction collective.

Apprentissage

S4

- **Fiche Problème OGD**

Lecture individuelle ou collective. Commentaire sur les informations données. Faire ensemble la question 1 puis temps de recherche individuel pour la suite. Étayage pour les élèves qui en ont besoin, recherche et correction.

- **Mini-Fichier Problèmes**

CM1

- S5 : demander de chercher par binômes le résultat de l'opération 125,45 + 72,3 après avoir fait un ordre de grandeur.

Correction collective avec confrontation des procédures. Revenir sur la technique (sens de la numération : aligner par l'unité, ajouter, etc.). Utiliser le matériel si nécessaire.
Recommencer avec d'autres exemples et vérification à la calculatrice.

CM2

- S5 : demander de chercher un ordre de grandeur de l'opération 95,25 × 29. Puis demander de chercher en binômes la procédure pour multiplier deux nombres décimaux.

Correction collective avec confrontation des procédures. Revenir sur la technique (sens de la numération : dizaines, unités, dixièmes, etc.).
Recommencer avec d'autres exemples et vérification à la calculatrice.

Régulation

● Proposition pour cette séance :
- prévoir un temps de calcul mental de 15 minutes sur le jeu de la cible.
- organiser un temps de 45 minutes qui peut être axé autour des activités suivantes :
  - finir les tâches non terminées ;
  - revoir les techniques opératoires (CM2 : multiplication de nombres décimaux) ;
  - avancer dans les mini-fichiers ou utiliser la boite à énigmes ;
  - jouer aux jeux de la guerre des champs, dépasse pas 1, bataille navale... ;
  - travailler les pourcentages à partir de magazines publicitaires (soldes).

Activités ritualisées

● **Dictée de grands nombres** à classer ensuite du plus grand au plus petit. (× 5)
Pour la correction, les replacer sur la droite graduée au tableau, en choisissant la graduation adaptée.

Calcul mental

● **Addition d'un entier et d'un décimal :** au dixième en CM1, au centième en CM2. (× 3)

● **Entrainement aux divisions** du type 25 : 4. Donner le résultat sous la forme 25 = 4 × 6 + 1.
Recommencer un exemple avec eux. Calculer 49 : 6 ; 55 : 6 ; 57 : 6
Expliciter les procédures.

Apprentissage

● Demander toutes les écritures possibles du nombre 2,15. Synthèse et échange.
Distribution et commentaire de la **Fiche Carte mentale de 2,15.**
Elle pourra être collée dans le cahier de leçons.

● **Fiche Fleur numérique**
Réalisation d'au moins une fleur numérique sur le même principe (il faut compléter au moins quatre pétales = quatre représentations... la sixième représentation pouvant être une version « monnaie », en euros/centimes d'euros).
Différencier le nombre donné selon les élèves.

CM2

● Écrire (ou afficher) les consignes suivantes au tableau (à faire sur feuille blanche).
- Trace un carré de 5 cm de côté.
- Trace un carré « deux fois plus grand ».
Expliquer que ça s'appelle faire un agrandissement.
- Tracer un carré « deux fois plus petit ».
Expliquer que ça s'appelle faire une réduction.
Même principe avec un rectangle :
L = 8 cm et l = 4 cm, « 3 fois plus grand », puis « deux fois plus petit ».
Comparer les procédures, la différence entre carré et rectangle. Les outils numériques peuvent montrer l'effet « agrandissement » et la proportionnalité.

● **Jeu La guerre des champs**

MODULE

20

8 SÉANCES

Objectifs majeurs du module

CM1

- La proportionnalité
- La résolution de problèmes
- Calculer en ligne

CM2

- La proportionnalité
- La résolution de problèmes
- Calculer en ligne

Matériel

CM1

- **Rallye maths** manche 4
- **Chronomath 9**

- **Fiche** Recette financiers
- **Fiche** Exercices nombres décimaux
- **Fiche** Figures créatives
- **Fiches** Cahier de patrons et cube tressé
- **Fiches** DEVOIRS Fractions

- **Mini-fichier** Histoires de mesures

- **Mini-fichier** Calculus
- **Mini-fichier** Problèmes
- **Leçons** 17, 19 et 20
- **Jeu** Les nombres en chaine

CM2

- **Rallye maths** manche 4
- **Chronomath 9**
- **Fiche** Recette financiers
- **Fiche** Figures créatives
- **Fiches** Cahier de patrons et cube tressé
- **Fiches** DEVOIRS Fractions
- **Mini-fichier** Histoires de mesures
- **Mini-fichier** Calculus
- **Mini-fichier** Problèmes
- **Leçons** 17, 19 et 20

Devoirs

CM1

- **Pour la séance 2 :** Fiche DEVOIRS fractions 1.
- **Pour la séance 3 :** Fiche DEVOIRS fractions 2.
- **Pour la séance 4 :** apprendre la Leçon 20.
- **Pour la séance 6 :** apprendre la Leçon 19.
- **Pour la séance 8 :** relire la Leçon 17 et tracer un triangle dans le cahier.

CM2

- **Pour la séance 2 :** Fiche DEVOIRS fractions 1.
- **Pour la séance 3 :** Fiche DEVOIRS fractions 2.
- **Pour la séance 4 :** apprendre la Leçon 20.
- **Pour la séance 6 :** apprendre la Leçon 19.
- **Pour la séance 8 :** relire la Leçon 17 et tracer un triangle dont le périmètre mesure 15,8 cm dans le cahier.

MODULE 20

CE QU'IL FAUT SAVOIR

L'activité des figures créatives

Cette activité est très riche. Elle se fonde tant sur la créativité de l'élève que sur la construction d'images mentales. Il va s'agir de compléter des figures proposées. L'élève doit les observer, puis inventer, imaginer ; ses instruments lui servent à contrôler ses intuitions, ses propositions. Il doit utiliser le langage géométrique pour les communiquer.

La figure initiale qui est proposée est construite sur des relations géométriques qu'on ne voit pas forcément de prime abord : les points peuvent appartenir à un polygone régulier (carré, pentagone...), à un cercle, être équidistants, etc. L'idée est de permettre aux élèves de voir ces relations, de percevoir des symétries, permettant une construction harmonieuse et esthétique. L'activité est l'occasion de réutiliser du vocabulaire en contexte.

Démarche :

La figure est affichée collectivement. Les élèves l'observent silencieusement sur un temps court. Ensuite, ils font des remarques sur ce qu'ils observent (5 minutes maximum).

On distribue la fiche (au format A4). Ils peuvent utiliser leur règle/compas pour chercher des relations entre les points, les segments, etc. Éventuellement : mise en commun des nouvelles observations.

On annonce la consigne : ils vont devoir faire des tracés géométriques avec les outils de leurs choix pour créer une figure originale.

Le projet « ma maison »

Cette activité allie géométrie et réflexion sur la ville et l'architecture. La principale difficulté sera probablement technique : découpage, collage, assemblage. Je conseille d'utiliser du bristol, du scotch, un pistolet à colle... C'est un projet à mi-chemin entre les mathématiques, l'architecture, la créativité. Deux séances (module 20 et 21) y sont consacrées, ainsi que les temps de régulation au besoin. Ce projet pourra donc aussi se faire sur l'horaire d'autres disciplines, car il peut être chronophage.

Il s'agit de fabriquer une maquette de sa maison du futur. Des patrons sont proposés. Vous pouvez aussi en profiter pour présenter aux élèves une autre façon de fabriquer un cube sans collage, mais très solide : le cube par tressage.

Le cube par tressage
https://huit.re/cubetresser

On peut aussi fabriquer une pyramide à partir d'une feuille A4 par simple pliage.

En option, vous pourrez rajouter une étape supplémentaire : la création d'une ville. Les maisons étant créées, les élèves vont pouvoir les relier par des rues au sein d'une mini-ville : il faudra trouver un très grand carton support que l'on puisse peindre. La ville doit répondre à la commande suivante :

- elle doit compter au moins un rond-point ;
- les rues tournent à angle droit, au centre elles sont séparées par des traits pointillés (à tracer !) ;
- chaque maison dispose d'un jardin faisant deux fois en surface la surface au sol de la maison.

MODULE 20

SÉANCE 1

Activités ritualisées

CM1

● **Dictée de nombres décimaux**, sous la forme *« 2 virgule 3 »*, qu'ils écrivent sous forme décimale et en écriture fractionnaire. (× 4)

CM2

● **Dictée de fractions simples**, à encadrer entre deux entiers puis donner une fraction équivalente. (× 4)

Exemple : dicter $\frac{1}{2}$, ils doivent proposer $\frac{2}{4}$ par exemple.

Calcul mental

CM1

● Multiplier par 10 et 100 un nombre décimal. (× 5)

● Calculer des pourcentages de nombres entiers < 100 (50 % et 25 % comme la moitié de 50 %). (× 4)

CM2

● Diviser par 100, 1 000… (× 5)

● Calculer des pourcentages de nombres entiers < 1 000. (× 4)

Apprentissage

CM1

● **Problème** (lire et afficher/écrire au tableau)

« J'ai acheté 3 baguettes à 3€15. Combien vais-je payer pour ***6*** *baguettes ? »*

Correction collective. Confrontation des procédures.

Leur demander alors le prix pour 12 baguettes et 33 baguettes.

Expliciter les propriétés de linéarité (si j'ai le prix de 3 et de 5 baguettes, je peux additionner…).

Puis faire un autre exemple :

« J'ai mis 5 minutes pour tondre 8 m² de pelouse. Combien de temps me faut-il pour tondre 16 m² ? Pour tondre 4 m² ? Pour tondre ***20 m²*** *? »*

● **Mini-fichier Problèmes**

CM2

« J'ai acheté 3 baguettes à 3€15. Combien vais-je payer pour 5 baguettes ? »

Correction collective. Confrontation des procédures.

Leur demander alors le prix pour 8 baguettes et 10 baguettes.

Expliciter les propriétés de linéarité et le passage à l'unité.

Puis faire un autre exemple :

« J'ai mis 5 minutes pour tondre 8 m² de pelouse. Combien de temps me faut-il pour tondre 16 m² ? Pour tondre 4 m² ? Pour tondre ***1 000 m²*** *? »*

Activités ritualisées

- **Dictée de quatre nombres décimaux** (jusqu'au centième en CM1, jusqu'au millième en CM1), puis les ranger dans l'ordre croissant. *Pour corriger, replacer les nombres sur la droite graduée.*

Calcul mental

CM1

- Multiplier par 5 un nombre entre 10 et 100. (× 5)

Comparer les procédures :

Multiplier par 5, c'est multiplier par 10 puis diviser par 2

- **Mini-fichier Calculus**

Faire une fiche.

CM2

- Divisions du type 251 : 2. (× 3)

Donner le résultat sous la forme :

250 = 125 × 2 + 1

- **Mini-fichier Calculus**

Faire une fiche.

Résolution de problèmes

- **Problème de proportionnalité**

Distribuer/afficher la **Fiche Recette financiers**. Lecture silencieuse puis commentaires. Leur demander combien il faudra de sucre et de beurre si on fait la recette pour :

CM1 24 financiers, 6 financiers,120 financiers

CM2 6 financiers, 18 financiers, 1 financier

Correction collective.

Apprentissage

- **Entrainement aux techniques opératoires**

Donner au tableau plusieurs groupes d'opérations, à différencier selon les besoins des élèves (soustractions d'entiers, additions de décimaux, divisions d'entiers, multiplications d'un décimal par un entier).

Ils trouvent d'abord un ordre de grandeur, puis calculent et vérifient à la calculatrice. Ils valident ou invalident leur ordre de grandeur initial.

Activités ritualisées

● **Lecture de l'heure** (en affichant une horloge)
Ils écrivent l'heure sur l'ardoise (sans rien dire), vous ajoutez une durée donnée (CM1 demi-heures, CM2 quarts d'heure) et ils écrivent le résultat. (× 4)

Résolution de problèmes

● **Rallye Maths :** manche 4

Régulation

● Pour construire cette séance, deux temps à prévoir.

1. La correction du rallye : c'est le dernier ! Faire le classement final, distribuer les diplômes.
Enchainer sur un problème de la boite à énigmes.

2. Un temps de travail que vous définirez :
– finir des tâches non achevées les jours précédents ;
– finaliser les projets en cours : le livre de mesures, la programmation, le module arts et géométrie… ;
– reprendre le travail sur la proportionnalité avec les élèves en difficulté.

MODULE 20

SÉANCES 5 et 6

Activités ritualisées

● S5 : **comparer des fractions décimales avec < ou >**

Exemple : $\frac{7}{100}$ et $\frac{25}{100}$.

Pour corriger, remettre les fractions sur une droite graduée au tableau ou sous l'écriture décimale. (× 4)

● S6 : **décomposer un nombre**

Le nombre est donné en centièmes au CM1 ou millièmes en CM2.

Les élèves doivent le décomposer à l'ardoise. (× 4)

Exemple : $\frac{825}{1\,000} = \frac{8}{10} + \frac{2}{100} + \frac{5}{1\,000}$

Calcul mental

CM1

● S5 : multiplications du type 7×60, 4×80. (× 4).

● S6 : multiplier par 11 des nombres à deux chiffres. (× 4)

CM2

● S5 : divisions du type $240 : 30$. (× 4)

● S6 : multiplier par 101 des nombres à deux chiffres. (× 4)

Apprentissage

S5

● **Fiche Exercices nombres décimaux**

● **Jeu Les nombres en chaine**

● S5 : **activité de calculs en ligne**

Donner l'opération 44×21.

Temps de recherche et confrontation des résultats.

Montrer qu'on peut le faire en ligne :

44 × 21, c'est 21 fois 44

c'est-à-dire 20 fois 44 et 1 fois 44

$44 \times 21 = 44 \times 20 + 44 \times 1$ *(faire un dessin)*

Or 44 × 20, ça se calcule de tête.

$44 \times 21 = 880 + 44 = 924$

S'entrainer sur le cahier :

52×31 – 75×42

48×91 – 150×102

S6

● Chercher des nombres décimaux dans des documents réels : publicités, photos (cf. rubrique « banque de photos » du site M@ths-en-vie).

Ils classent les nombres qu'ils trouvent selon l'unité de mesure à laquelle ils sont associés. Pour chaque nombre recopié, ils proposent une autre écriture (comme vu dans la fleur de la fiche d'exercices de la séance 5).

Il s'agit pour vous d'adapter et de concevoir des ressources répondant aux besoins des élèves à cette étape d'apprentissage du concept de nombre décimal.

S6

● Calculer en ligne dans le cahier :

$1{,}4 + 2{,}25 = \ldots$

$5{,}6 + 12{,}05 = \ldots$

$99 + 0{,}01 = \ldots$

$24{,}75 - 12{,}5 = \ldots$

$19{,}5 - 12{,}25 = \ldots$

● S'entrainer aux opérations sur les décimaux, selon les besoins des élèves.

Activités ritualisées

● **Fiche Figures créatives** (▶ voir p. 134) : figure 1.
Mise au travail autonome, sur un temps limité (5-10 minutes). Comparaison des productions.

● **Ordre de grandeur**
Proposer à l'ardoise un ordre de grandeur avec la bonne unité de mesure de :
- la masse d'une voiture *(environ 1 tonne) ;*
- la hauteur d'une maison avec 1 étage *(environ 6 à 8 mètres) ;*
- la distance de Lille à Marseille *(1 000 km).*

Calcul mental

● Convertir les résultats trouvés précédemment dans une autre unité connue (masse de la voiture en kg, hauteur en mm, distance en m).
Rappeler que la conversion correspond à une multiplication par 10, 100 ou 1 000 (si je descends de trois unités, je multiplie par 1 000).

Apprentissage

● Lecture de la **Leçon 20** sur les mesures.

● **Mini-fichier Histoires de mesures**
Découverte collective du fichier. Faire les deux premières fiches collectivement en verbalisant les attendus du fichier. Ils avancent ensuite dans le mini-fichier avec le matériel à leur disposition en alternance avec d'autres tâches pour résoudre les problèmes matériels (autres fichiers, calculs à faire, etc.).

Activités ritualisées

- Présenter les solides (en vrai ou en image) et leur demander de les nommer. Repréciser le vocabulaire.
- **Ordre de grandeur :** idem qu'en S7 mais à partir :

– du poids d'un homme adulte *(60 à 100 kg environ)* ;
– du tour de la Terre *(40 000 km)* ;
– de la contenance d'un petit verre de cantine *(20 cL)*.

Calcul mental

- **Chronomath 9**

Apprentissage

- **Projet « ma maison »** (▶ voir p. 134)

Voici les étapes à réaliser sur cette séance et celle du module 21, à partir des **Fiches Cahier de patrons.**
1re phase : découverte des patrons
Faire assembler les différents patrons : chaque binôme d'élèves doit tous les assembler. En travail collectif, l'enseignant-e et les élèves décrivent les solides.
2e phase : créer sa maison du futur
L'objectif est présenté aux élèves : chacun va créer une maison originale en assemblant plusieurs solides. Les patrons devront être dessinés sur feuille A4. Plusieurs exemples sont présentés à partir de vos recherches sur Internet : photos de maisons d'architecte pour avoir des idées et pour échanger (assemblant plusieurs blocs). Vous pouvez expliciter les différents solides qui composent une maison.
Les élèves travaillent ensuite seuls. Si une forme n'existe pas, ils doivent en créer le patron par eux-mêmes !
3e phase : finalisation
Les élèves vont décorer les murs en ajoutant les portes et les fenêtres.

MODULE

21

8 SÉANCES

Objectifs majeurs du module

CM1

- Le calcul mental
- L'aire et le périmètre
- La symétrie

CM2

- Le calcul mental
- L'aire et le périmètre
- La symétrie

Matériel

CM1

 • **Fiche** *Rituel* Le nombre décimal du jour (1)

 • **Fiche** Activité Legos

 • **Fiches** Symétrie : modèle et exercices

 • **Fiche** DEVOIRS Symétrie

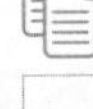 • **Mini-fichier** Architecte

 • **Mini-fichier** Calculus

 • **Leçons** 18 et 20

 • **Jeux** Dépasse pas 1, la guerre des champs

CM2

 • **Fiche** *Rituel* Le nombre décimal du jour (2)

 • **Fiche** Plan de Londres

 • **Fiches** Symétrie : modèle et exercices

 • **Fiche** DEVOIRS Symétrie

 • **Mini-fichier** Architecte

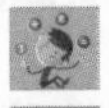 • **Mini-fichier** Calculus

 • **Leçons** 18 et 20

 • **Jeux** Dépasse pas 1, la guerre des champs

Devoirs

CM1

- **Pour la séance 2 :** revoir les tables de multiplication.
- **Pour la séance 3 :** revoir la Leçon 18.
- **Pour la séance 4 :** relire la Leçon 20.
- **Pour la séance 6 :** s'entrainer à multiplier par 99 trois nombres < 1 000.
- **Pour la séance 8 :** Fiche DEVOIRS Symétrie

CM2

- **Pour la séance 2 :** revoir les tables de multiplication.
- **Pour la séance 3 :** revoir la Leçon 18.
- **Pour la séance 4 :** relire la Leçon 20.
- **Pour la séance 6 :** s'entrainer à multiplier par 99 trois nombres < 1 000.
- **Pour la séance 8 :** Fiche DEVOIRS Symétrie

MODULE

21 SÉANCES 1 À 4

Activités ritualisées

- S1-S2 : **dictée de nombres décimaux**, puis rangement dans l'ordre décroissant. (× 4)
- S3-S4 : **Fiche *Rituel* Le nombre décimal du jour**, puis faire encadrer le nombre entre deux entiers.

Calcul mental

- S1 : revoir la division de nombres du type 37 : 4 (× 5) en donnant quotient et reste.
- S2 : s'interroger avec la fiche de suivi des tables. (5 minutes)

CM1

- S3 : opérations du type 7 × 50… (× 5)
- S4 : multiplier un nombre décimal par 10, 100… (× 5)

CM2

- S3 : divisions du type 420 : 6… (× 5)
- S4 : diviser un nombre entier par 10, 100, 1 000. (× 5)

Résolution de problèmes

- Afficher au tableau un problème et le lire (*choisir un énoncé et une typologie selon les besoins des élèves*). Vous affichez un schéma avec les données pour résoudre les problèmes (par exemple résolution en barres, par ensemble, etc.) et vous leur demandez de finir le problème (il reste à transformer cette schématisation en calcul) en binômes (3 minutes). Correction collective.

Apprentissage

4 ateliers à mettre en place, à faire tourner sur les 4 séances.

Atelier 1

- **Projet « ma maison » :** poursuite du projet initié au module 20 (▶ voir p. 140).

Atelier 2

- **Opérations : addition de nombres décimaux**
Proposer plusieurs opérations au tableau. Ils en calculent deux et vérifient à la calculatrice. Proposer plusieurs niveaux de difficulté.
Il faut rester très raisonnable sur la taille des chiffres (< 100 suffit). Il s'agit d'apprendre l'algorithme, et non de faire une performance.
- **Jeu Dépasse pas 1**

- **Opérations : multiplication de décimaux**
Proposer plusieurs opérations au tableau. Ils en calculent deux et vérifient à la calculatrice. Proposer plusieurs niveaux de difficulté (*dixièmes, centièmes*).
Il faut rester très raisonnable sur la taille des chiffres (< 100 suffit). Il s'agit d'apprendre l'algorithme, et non de faire une performance.
- **Jeu Dépasse pas 1**

Apprentissage

Atelier 3

● **Problème**
« Les melons charentais sont vendus à 6 € les 5 et les melons du Maroc sont vendus à 4 € les 3. Quels melons je choisis pour payer moins cher ? »
Expliciter les procédures.

● Dans le cahier, calculer des pourcentages sur des nombres entiers < 100 (50 % et 25 %). (× 5)

● **Problème**
« Les melons charentais sont vendus à 6 € les 5 et les melons du Maroc sont vendus à 4 € les 3. Quels melons je choisis pour payer moins cher ? »
Expliciter les procédures.

● Dans le cahier, calculer des pourcentages de nombres entiers < 100. (× 5)

Atelier 4

● **Fiche Activité Legos**
Utiliser de vrais legos pour mener à bien l'activité *(vérifier qu'après impression/photocopies les dimensions sont toujours bonnes).*

● **Jeu La guerre des champs**

● **Fiche Plan de Londres**
Observation et lecture du plan. Répondre aux questions (*deux niveaux de difficulté proposés, au choix*).
Ce travail sur le plan gagnera à être remplacé par un plan de la ville où se situe l'école ou d'une ville proche… Des plans peuvent être récupérés aux offices de tourisme.
Cela pourra être évidemment associé à une visite ou un travail sur le patrimoine, tout travail interdisciplinaire étant alors bienvenu.

● **Jeu La guerre des champs**

Notes personnelles

Régulation

● Proposition pour cette séance :
- organiser un temps de calcul mental de 15 minutes pour revoir les procédures qui les mettent en difficulté ;
- prévoir un temps de 45 minutes axé autour des activités suivantes :
  - finir le projet « ma maison » ;
  - avancer dans les mini-fichiers (analyser les mini-fichiers des élèves pour comprendre leurs besoins et les faire travailler dessus) ;
  - proposer une activité sur la programmation.

Activités ritualisées

CM1

● Compter de 0,1 en 0,1 sur l'ardoise le plus loin possible en 2 minutes.

CM2

● Compter de 0,01 et 0,01 sur l'ardoise le plus loin possible en 2 minutes.

Calcul mental

● Ajouter des nombres décimaux en dixièmes/centièmes. (× 5)

● Ajouter des nombres décimaux en centièmes/millièmes. (× 5)

Résolution de problèmes

● **Problèmes oraux** (calculatrice autorisée !)
« Si 1 kg de bananes coute 1,50 €, combien coutent 2 kg de bananes ? »
« Si 1 kg de poires coute 3,20 €, combien coutent 10 kg de poires ? »
Prendre le temps d'expliciter les procédures, de faire le lien à la proportionnalité.

● **Problèmes oraux** (calculatrice autorisée !)
« Si 3 kg de tomates coutent 4,50 €, combien coute 1 kg de tomates ? »
« Si 5 kg de carottes coutent 4 €, combien coute 1 kg de carottes ? »
Prendre le temps d'expliciter les procédures, de faire le lien à la proportionnalité.

Apprentissage

● **Symétrie**
1. En collectif : afficher la **Fiche Modèle symétrie** au tableau au format A3, vidéoprojeter ou reproduire au tableau. L'axe de symétrie est le bord droit de la feuille (à repasser au feutre rouge).
Il faut tracer le symétrique par rapport à l'axe rouge. Vous le tracez, mais sous leur commande : ils doivent verbaliser les étapes et vous corrigez, ajustez, réexpliquez… explicitez !
2. Donner la **Fiche Exercices symétrie**. Ils doivent tracer le symétrique seuls, de la même façon qu'en collectif.
Plusieurs procédures : ils peuvent ne tracer qu'un point et reproduire le rectangle par exemple… ou faire le symétrique de chaque point…

Activités ritualisées

- Demander deux propriétés du carré CM1 ou du losange CM2 : *il peut s'agir des propriétés relatives aux longueurs, aux angles, aux diagonales…*
- **Fiche Figures créatives :** figure 2

Calcul mental

- Demander plusieurs façons d'écrire 4 dixièmes de km.

Recherche individuelle. Correction.

0,4 km ⟶ C'est $\frac{4}{10}$ km ou 4 hm

Expliciter qu'on peut l'écrire 0,4 km, puis 4 hm, ou 400 m, ou 400 000 mm…
Recommencer sur d'autres exemples du même type. (× 4)
Faire le lien entre le tableau des unités de mesure et le tableau de numération. Il suffit d'aligner l'unité choisie avec « U ».

Apprentissage

- **Travail sur l'aire et le périmètre**

Problème de géométrie 1 :
« Construis deux figures qui ont le même périmètre, mais une aire différente. »
Problème de géométrie 2 :
« Construis deux figures qui ont la même aire, mais un périmètre différent. »
Les élèves résolvent les problèmes sur feuille quadrillée dans le cahier en CM1 et sur papier blanc en CM2.
Travail en binômes. Mise en commun. Présentation de deux exemples. Expliquez que ces grandeurs sont liées, mais qu'on ne peut pas déduire l'une de l'autre.

- **Mini-Fichier Architecte**

Activités ritualisées

- **Dictée de nombres décimaux** dans le cahier
CM1 Jusqu'au centième. CM2 Jusqu'au millième. (× 4)

- Revoir :

1 unité = … dixièmes
1 dixième = … centièmes
1 centième = …millièmes

Refaire le point avec du matériel ou un outil numérique si besoin.

Calcul mental

- Faire des divisions du type 29 : 4. (× 4)

- **Mini-fichier Calculus**
Compléter une fiche.

Apprentissage

CM1

- Écrire une fraction sous la forme d'un entier et d'une fraction inférieure à 1 : proposer plusieurs cas et donner du matériel à disposition. Ils écrivent leurs propositions dans le cahier.

- Proposer la création de fleurs numériques sur les décimaux, en choisissant des nombres différenciés selon les élèves. Ils doivent en faire au moins deux dans le temps imparti.

CM2

- Écrire au tableau :

3, 25 : 10 ; 30,5 : 100 ; 355 : 1 000
3,25 × 0,1 ; 30,5 × 0,01 ; 355 × 0,001

Recherche individuelle, calculatrice autorisée.
Mise en commun, comparaison des résultats.
Mise en évidence (l'écrire sur une affiche) que diviser par 10, c'est la même chose que multiplier par 0,1 (qu'on peut écrire sous la forme de la fraction $\frac{1}{10}$).
Relire la **Leçon 19**.
Leur demander alors de calculer dans leur cahier, sans calculatrice, une dizaine d'opérations du même type.

MODULE

22

7 SÉANCES

Objectifs majeurs du module

CM1

- Les calculs
- Les mesures et les masses
- Les aires

CM2

- Les calculs
- Les mesures et les masses
- Les opérations sur les décimaux

Matériel

CM1

- **Chronomath 10**

- **Fiche** Calculs en ligne

- **Fiche** Quadrillage aires

- **Fiches** DEVOIR Angles
- **Fiches** DEVOIRS Équations

- **Mini-fichier** Histoires de mesures

- **Mini-fichier** Calculus

CM2

- **Chronomath 10**
- **Fiche** Exercices OGD
- **Fiche** Exercices aires

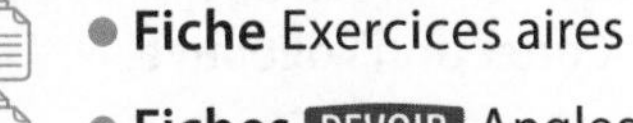

- **Fiches** DEVOIR Angles

- **Fiches** DEVOIRS Équations

- **Mini-fichier** Histoires de mesures

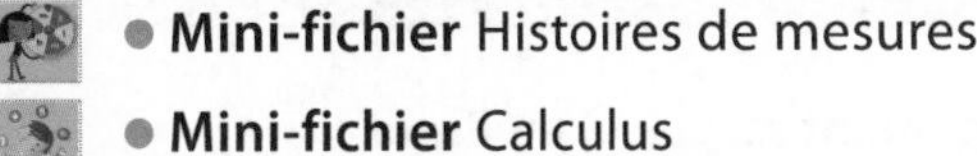

- **Mini-fichier** Calculus

- **Mini-fichier** Calculs d'aires

Devoirs

CM1

- **Pour la séance 2 :** Fiches DEVOIRS Équations (1) et (2).
- **Pour la séance 3 :** Fiches DEVOIRS Équations (3) et (4).
- **Pour la séance 4 :** s'entrainer à ajouter deux nombres décimaux simples de tête. (× 10)
- **Pour la séance 6 :** Fiche DEVOIRS Angles (1).
- **Pour la séance 7 :** Fiche DEVOIRS Angles (2).

CM2

- **Pour la séance 2 :** Fiches DEVOIRS Équations (1) et (2).
- **Pour la séance 3 :** Fiches DEVOIRS Équations (3) et (4).
- **Pour la séance 4 :** s'entrainer à ajouter deux nombres décimaux simples de tête. (× 10)
- **Pour la séance 6 :** Fiche DEVOIRS Angles (1).
- **Pour la séance 7 :** Fiche DEVOIRS Angles (2).

MODULE

22 SÉANCES 1 ET 2

Activités ritualisées

- Afficher une droite graduée (graduations pour aller au centième, quelques repères écrits) : indiquer des nombres en montrant les graduations et ils les écrivent sur l'ardoise. (× 3)
Différencier selon CM1 *ou* CM2.

- Donner un nombre décimal (au dixième en CM1, centième ou millième en CM2) et leur demander un encadrement à l'unité. (× 3)

Calcul mental

CM1

- Revoir × 10, × 100, × 1 000 sur un nombre décimal. (× 5)
- Calculs du type 0,2 + 0,3. (× 5)

CM2

- Calcul de pourcentages 25-50 %.
S'entrainer sur des nombres <1 000. (× 5)
- Calculs du type 0,25 + 0,3. (× 5)

Résolution de problèmes

- Afficher au tableau un problème et le lire (*choisir un énoncé et une typologie selon les besoins des élèves*).
Vous affichez un schéma avec les données pour résoudre les problèmes (par exemple résolution en barres, par ensemble, etc.) et vous leur demandez de finir le problème (il reste à transformer cette schématisation en calcul) en binômes (3 minutes). Correction collective.

Apprentissage

S1 : **entrainement au calcul en ligne**

- **Fiche Calculs en ligne**
- **Mini-Fichier Calculus**

S2 : **les aires**

- Donner le quadrillage de 6 × 4 ou le reproduire dans le cahier. Demander de trouver deux façons différentes de découper ce quadrillage en six parties de même aire.
Correction collective.
Demander ensuite de colorier deux parties au choix, puis de donner la fraction de l'aire totale à laquelle la figure coloriée correspond.

S1 : **la division avec quotient décimal**

- Calculer en collectif la division 78 : 5.
Expliciter le quotient décimal. Donner des divisions en entrainement, en différenciant selon les élèves.

S2

- Proposer différentes divisions de niveaux variés selon les élèves (avec quotient décimal jusqu'au dixième ou centième).
Vérification à la calculatrice.
- **Mini-Fichier Calculus**

MODULE 22

SÉANCES 3 ET 4

Activités ritualisées

- **Décomposer des grands nombres** sous la forme :

138 500 = 1 × 100 000 + 3 × 10 000 + 8 × 1 000 + 5 × 100

CM1 Jusqu'au million. CM2 Jusqu'au milliard. (× 4)

La variable didactique se situe dans le choix de nombres présentant plusieurs zéros.

Calcul mental

CM1

- S3-S4 : ajouter deux nombres décimaux du type 1,2 + 2,15. (× 4)

- S3 : opérations du type 0,3 + 1,4 dans le cahier. (× 6)
Corriger, confronter les procédures.
« Comment faire pour aller vite ? 10 – 3 – 0,7 : utiliser la droite graduée. »
Faire deux autres opérations.

- S4 : opérations du type 0,8 – 0,2. (× 6)

CM2

- S3 : diviser par 10, 100 des nombres décimaux. (× 4)

- S4 : multiplier des nombres décimaux par 0,1 et 0,01. (× 4)

- S3 : calculer 10 – 3,7.
Corriger, confronter les procédures.
« Comment faire pour aller vite ? 10 – 3 – 0,7 : utiliser la droite graduée. »
Faire deux autres opérations.

- S4 : faire d'autres calculs comme en S3.

Apprentissage

CM1

- S3 : **atelier sur la programmation**

- S4 : **addition de décimaux**
Proposer diverses opérations avec plusieurs niveaux de difficulté, à différencier selon les élèves.

CM2

- S3 : **estimer la mesure d'une aire**
Fiche Exercices aires, puis **Mini-fichier Calculs d'aires**
C'est un travail difficile qui a besoin d'être bien explicité.

- S4 : **atelier sur la programmation**

Régulation

- La fin de l'année arrive. L'objectif de la régulation est de combler les lacunes les plus importantes, de remédier aux compétences qui ne sont pas acquises, mais qui sont primordiales pour la suite de la scolarité. Pour d'autres élèves, il s'agit de leur offrir d'autres choses à voir.

Construisez donc une séance sur mesure pour répondre aux besoins des élèves : remédier, aller plus loin, se réconcilier avec les mathématiques, faire des mathématiques autrement, etc.

C'est le moment d'aller voir sur le site les compléments qui proposent d'autres jeux, outils, projets…

Activités ritualisées

CM1

- Compter de 0,5 en 0,5 sur l'ardoise le plus loin possible en 2 minutes.

CM2

- Compter de 0,05 et 0,05 sur l'ardoise le plus loin possible en 2 minutes.

Calcul mental

- **Chronomath 10**

Résolution de problèmes

- **Problème de proportionnalité à l'oral**

Si une voiture consomme 5,3 litres pour 100 km, indiquer la consommation pour 200 km et 1 000 km.
Recherche individuelle. Correction collective.

Si une voiture consomme 4,8 L pour 100 km, indiquer la consommation pour 50 km et 25 km.
Recherche individuelle. Correction collective.

Apprentissage

- **Travail sur mini-fichiers**

Reprendre les mini-fichiers de chaque élève et leur imposer le choix du mini-fichier pour combler ceux les moins avancés.

Activités ritualisées

- Demander la définition d'un angle droit, d'un angle aigu et d'un angle obtus (retour sur les devoirs).
- **Conversions de durée** (× 6)

Exemples :

67 min = … h … min
134 sec = … min … sec

Différencier selon les compétences des élèves.

Calcul mental

- Demander plusieurs façons d'écrire 4 dixièmes de grammes.

Recherche individuelle. Correction.
Recommencer avec d'autres exemples du même type. (× 4)

Résolution de problèmes

- Afficher au tableau un problème et le lire (*choisir un énoncé et une typologie selon les besoins des élèves*).

Présenter une solution schématisée, avec un calcul et une phrase réponse qui sont faux.
Demander aux élèves de prouver pourquoi c'est faux. Correction collective.

Apprentissage

- **Techniques opératoires**

Entrainement sur les techniques qui posent problème.
Différencier, selon chaque élève, la technique et la taille des nombres.

CM2

- **Fiche Exercices OGD**

Travail sur le graphique de la population de la ville de Paris.
Construction de graphique.

- **Mini-fichier Histoires de mesures**

Ce mini-fichier a pour objectif de travailler sur les mesures de façon concrète : peser, mesurer, manipuler, transvaser, etc. C'est à vous de réfléchir à une mise en œuvre la plus efficace possible.
Il nécessite du matériel de classe : une balance Roberval, des bouteilles d'eau vides de différents formats, des cuillères à soupe, un verre mesureur, une seringue graduée…
Il faudra préparer six objets, classés de A à F. Il peut s'agir de boites remplies de sucre/farine/sable… Les objets doivent répondre aux contraintes suivantes :
– mettre en place une progression sur la finesse de la pesée, par exemple A = 250 g pour E = 190 g… ;
– l'objet B doit peser plus de 800 g ;
– l'objet C doit être une bouteille remplie de 20 cL de liquide.

Notes personnelles

MODULE

23

6 SÉANCES

Objectifs majeurs du module

CM1

- La proportionnalité
- La symétrie
- La résolution de problèmes

CM2

- La proportionnalité
- La symétrie
- La résolution de problèmes

Matériel

CM1

- **Chronomath 11**
- **Chronomath 12**
- **Fiche** Problème proportionnalité

- **Mini-fichier** Calculus

- **Mini-fichier** Histoires de mesures

- **Mini-fichier** Problèmes

- **Mini-fichier** Ville au trésor

- **Jeu** La bataille navale

- Cartes flash Fractions

CM2

- **Chronomath 11**
- **Chronomath 12**
- **Fiche** Problème proportionnalité
- **Mini-fichier** Calculus
- **Mini-fichier** Histoires de mesures

- **Mini-fichier** Problèmes

- **Mini-fichier** Pays au trésor

- **Jeu** La bataille navale

Devoirs

CM1

- **Pour la séance 2 :** relire la Leçon 17 et tracer un triangle de côtés : AB = 12 cm, AC = 7 cm, BC = 6 cm.
- **Pour la séance 3 :** tracer un triangle de côtés : AB = 10 cm, AC = 5 cm, BC = 6 cm.
- **Pour la séance 4 :** tracer un triangle de côtés : AB = 18 cm, AC = 14 cm, BC = 6 cm.
- **Pour la séance 6 :** s'entrainer à multiplier par 11 cinq nombres à deux chiffres.

CM2

- **Pour la séance 2 :** relire la Leçon 17 et tracer un triangle de côtés : AB = 12,5 cm, AC = 7,5 cm, BC = 6,5 cm.
- **Pour la séance 3 :** tracer un triangle de côtés : AB = 10 cm, AC = 5,5 cm, BC = 6,5 cm.
- **Pour la séance 4 :** tracer un triangle de côtés : AB = 18 cm, AC = 14,5 cm, BC = 6,5 cm.
- **Pour la séance 6 :** calculer 50 % de 38 400, de 1 840 000, de 3 400 000.

MODULE

23 SÉANCES 1 À 4

Activités ritualisées

CM1

- **Encadrer des fractions par des entiers**

Faire un exemple avec eux : $\frac{3}{4}$ est entre 0 et 1.

Puis donner deux autres nombres. *Pour aider/expliciter, utiliser la droite graduée au tableau.*

- Donner un nombre décimal au centième et demander l'écriture sous forme de fraction décimale. (× 3)

CM2

- Présenter les cartes flash des fractions.

Ils écrivent sur l'ardoise la fraction nécessaire pour compléter à 1. (× 3)

- Donner un nombre décimal au millième et demander l'écriture sous forme entier+ fraction décimale. (× 3)

Calcul mental

CM1

- S1 : interroger les tables à partir de la **Fiche Suivi des tables** (module 9).
- S2 : somme de décimaux, type 1,2 + 0,3. (× 5)
- S3 : **Mini fichier Calculus**
Compléter une fiche.
- S4 : **Chronomath 11**

CM2

- S1 :
« Sur la tablette de chocolat, on peut lire *50 % de cacao*. Donc, dans une tablette de 100 g, combien y a-t-il de grammes de cacao ? »
« Si 25 % d'une voiture d'une tonne est faite en aluminium, quel est le poids total d'aluminium ? »
- S2 : différences entre décimaux, type 1,35 - 0,03. (× 5)
- S3 : **Mini fichier Calculus :** compléter une fiche.
- S4 : **Chronomath 11**

Apprentissage

4 ateliers à mettre en place, à faire tourner sur les 4 séances.

Atelier 1

- **Fiche Problème proportionnalité**

CM2 *Pour ceux qui ont fini rapidement, leur demander alors de calculer combien il faudrait de carburant pour aller sur Mars, distante de 100 millions de km.*

Atelier 2

- **Mini-fichier Histoires de mesures** en autonomie.

Atelier 3

- **Mini-fichier Problèmes** ou boite à énigmes.

Atelier 4

- **Jeu La bataille navale :** faire une partie.
- Proposer des opérations à différencier selon les élèves et leurs besoins (addition/soustraction de décimaux en CM1, multiplication/division en CM2). Ils s'autocorrigent à la calculatrice.

Régulation

● Construisez une séance sur mesure pour répondre aux besoins des élèves : remédier, aller plus loin, se réconcilier avec les mathématiques, faire des mathématiques autrement, etc.
C'est le moment d'aller voir sur le site les compléments qui proposent d'autres jeux, outils, projets…

Activités ritualisées

● Interroger sur les propriétés des triangles particuliers.

● **Conversion de durées** (× 5)

● **Fiche Figures créatives :** figure 3.

Calcul mental

● **Chronomath 12**
Le fichier fourni est vierge : c'est à vous de créer un chronomath qui vous semble le plus pertinent pour servir de bilan au regard du profil de vos élèves

Apprentissage

● Donner aux élèves une feuille blanche séparée en deux (verticalement ou horizontalement) par un trait rouge. D'un côté, ils tracent une figure complexe qui doit comporter :
CM1 un triangle équilatéral ; un carré
CM2 un triangle isocèle et rectangle ; un carré
Une fois cette figure complexe tracée et validée, ils tracent le symétrique par rapport à l'axe rouge.
CM2 *Cette activité peut être remplacée par la reproduction d'une figure : agrandissement ou réduction.*

● **Mini-fichiers Ville au trésor** et **Pays au trésor**

MODULE 24

7 SÉANCES

Objectifs majeurs du module

- **Bilan**

Matériel

- **Évaluation**

Devoirs

- Pas de devoirs. Vous pouvez leur demander de relire les leçons de l'année si cela vous semble nécessaire.

CE QU'IL FAUT SAVOIR

Bilan

Normalement, vous arrivez sur ce module à la fin de l'année. Ce module est quasi optionnel.
Il a comme objectif premier l'évaluation, une évaluation finale.
Vous pouvez pour cela utiliser l'évaluation proposée sur le site.

Si certains mini-fichiers n'ont pas été terminés, vous pouvez laisser les élèves repartir avec.
Ils serviront de devoirs de vacances.

MODULE

24 SÉANCES 1 À 4

Activités ritualisées

● **Dictée de nombres** (grands nombres ou nombres décimaux, ou les deux). (× 5)
Puis rangement en ordre croissant ou décroissant.

Calcul mental

● S1 : interroger les tables de multiplication. (×10)

● S2 : interroger les tables de multiplication. (×10)

● S3 : multiplier par 10, 100, 1 000 un nombre décimal. (×10)

CM1

● S4 : ajouter des fractions de même dénominateur. (× 5)

CM2

● S4 : diviser par 10 ou 100 un nombre décimal.

Apprentissage

4 ateliers à mettre en place, à faire tourner sur les 4 séances.

Atelier 1

● Activité à définir par vos soins sur la base des compléments proposés sur le site ou sur des compétences à retravailler.

Atelier 2

● **Jeu :** les élèves choisissent un jeu parmi ceux utilisés dans l'année.

Atelier 3

● **Mini-fichier :** les élèves choisissent un mini-fichier parmi ceux utilisés dans l'année.

Atelier 4

● Proposer des opérations à différencier selon les élèves et leurs besoins (addition/soustraction de décimaux en CM1, multiplication/division en CM2).

MODULE

24 SÉANCE 5 À 7

Apprentissage

- Vous allez construire ces trois séances à partir des propositions suivantes :
- passer les évaluations finales ;
- finir les mini-fichiers ciblés selon les élèves ;
- réinvestir leurs progrès dans les différents jeux utilisés dans l'année ;
- concevoir un lapbook.

Réaliser un lapbook
https://methodeheuristique.com/les/lapbooks/

Notes personnelles

Index des contenus de la rubrique « Ce qu'il faut savoir »

Index des leçons

Les élèves de CM vont avoir 20 leçons dans l'année. On aurait pu en faire beaucoup plus, c'est un choix. Elles sont parallèles en CM1 et CM2 et se ressemblent beaucoup. Pour les élèves qui ont connu la méthode en CM1, cela permet une réactivation rapide en CM2. Les leçons peuvent être personnalisées et enrichies.

	Module	Thème	À apprendre ou lire en devoirs
Leçon 1	2	Les grands nombres	M2 – M3
Leçon 2	2	Les unités de mesure de longueur	M2 – M13
Leçon 3	3	Les polygones	M3 – M16
Leçon 4	3	Tracer un carré (**CM1**) ou un rectangle (**CM2**)	M3 – M4
Leçon 5	4	Le périmètre	M4 – M5
Leçon 6	4	Le cercle	M5 – M7
Leçon 7	5	Les encadrements	M5 – M9
Leçon 8	6	Les fractions (CM2 : suite en module 7)	M6 – M7 – M12
Leçon 9	7	Les tables de multiplication	M7
Leçon 10	8	Multiples et diviseurs	M8 – M14
Leçon 11	8	La division	M9 – M12 – M19
Leçon 12	10	Les droites	M10 – M11
Leçon 13	11	Les angles	M12 – M14
Leçon 14	12	Les triangles	M13 – M18
Leçon 15	13	Les aires	M13 – M14
Leçon 16	15	Tables : **CM1** : 11 et 25 – **CM2** : 12 et 50	M15 – M17 – M19
Leçon 17	16	Tracer un triangle	M17 – M20 – M23
Leçon 18	16	Les nombres décimaux	M16 – M19 – M21
Leçon 19	18	Multiplier par 10,100 (**CM1**) Multiplier/diviser par 10, 100, 1 000 (**CM2**)	M19 – M20
Leçon 20	19	Les unités de mesure	M20 – M21

Auteur : Nicolas Pinel
Édition : Marion Noesser, Frédéric Gomariz
Conception graphique : Anne-Danielle Naname
Couverture : Frédéric Jely et Emma Lechardoy
Coordination artistique : Emma Lechardoy
Mise en page et schémas : CGI

Nathan est un éditeur qui s'engage pour la préservation de l'environnement et qui utilise du papier fabriqué à partir de bois provenant de forêts gérées de manière responsable.

Achevé d'imprimer en France en avril 2020 par la Nouvelle Imprimerie Laballery à Clamecy
N° éditeur : 10264248 - Dépôt légal : août 2019 - N° impression : 003240

La Nouvelle Imprimerie Laballery est titulaire de la marque Imprim'Vert®